Dean Lorey

De Nachtmerrie Academie

Vertaling Erica Feberwee

De Fontein

Voor Elizabeth, mijn vrouw,
en voor onze zoons, Chris en Alex.

www.defonteinkinderboeken.nl

Oorspronkelijke titel: Nightmare Academy
Verschenen bij HarperCollins Publishers

Vertaling: Erica Feberwee
Omslagafbeelding: Bradon Dorman
met toestemming van HarperCollins Publishers
Illustraties: Brandon Dorman
Omslagontwerp: Hans Gordijn
Grafische verzorging: Elgraphic+DTQP bv, Schiedam

ISBN 978 90 261 2356 6
NUR 283

Inhoud

Deel een

HET BUREAU NACHTMERRIES

Hoofdstuk 1

Een monster in model c

Ferrie Benjamin wist bijna zeker dat hij het eenzaamste kind was op de hele wereld. Hij ging in zijn eigen huis naar school. Alleen. Het huis stond in een rustige straat, in een afgeschermde wijk met bewaking. Vanbuiten zagen alle huizen er hetzelfde uit, maar qua indeling waren er drie verschillende modellen.

De Benjamins woonden in een model c.

'Model c is veruit het beste,' kreeg Ferrie regelmatig te horen van zijn vader, een nauwgezette, weloverwogen man. Hij heette Wunibald, een naam die even nauwgezet en weloverwogen klonk als zijn drager. 'Model A, de naam zegt het al, is het prototype. Daar hoeven we geen woorden aan vuil te maken. Bij model B zie je wat er gebeurt wanneer je te snel veranderingen aanbrengt in een ontwerp. Dan zet je vaak twee stappen naar achteren om er een naar voren te doen. En dat brengt ons bij model c, het simpele, degelijke, betróúwbare model c.'

Model c was Ferrie Benjamins gevangenis.

Met zijn dertien jaar was hij klein voor zijn leeftijd. Hij had weerbarstig, rossig haar, donkerbruine ogen, en zijn neus en wangen zaten onder de sproetjes. Zijn ellebogen en knieën waren opmerkelijk gaaf, zonder schrammen en korsten. Blauwe plekken had hij nauwelijks. Dat kwam omdat zijn moeder, die het beste met hem voorhad, erop stond dat hij zo min mogelijk buiten speelde.

'De wereld is vol gevaren,' zei ze vaak. 'Daar kan ik je hierbinnen tegen beschermen, maar zodra je de deur uit stapt...' Ze maakte haar zin nooit af, maar schudde met een ernstig gezicht haar hoofd, alsof de gruwelen van het leven buiten hun model C te verschrikkelijk waren om er zelfs maar over na te denken.

'Dat zeg je altijd,' zei Ferrie op een zaterdagmorgen, nadat ze wel héél ernstig haar hoofd had geschud. 'Maar dat wil nog niet zeggen dat het zo ís. Ik ben het zat om altijd maar thuis te zitten. Ik wil naar school. Echt naar school.'

'Naar schóól? Écht naar school?' herhaalde zijn moeder. 'Lieverd, we hebben hier thuis alles wat een echte school ook heeft. Boeken en computers, papier, potloden, toetsen, cijfers –'

'Maar geen kinderen,' viel Ferrie haar in de rede. 'Behalve ik dan.'

'Dat is waar,' gaf zijn moeder hem geduldig gelijk. Ze wás ook erg geduldig. En meegaand. Zo meegaand dat ze haar eigen moeder nooit verwijten had gemaakt over het feit dat die haar Olga had genoemd. 'En gelukkig maar! Want omdat er geen andere kinderen zijn, word je niet gepest en in elkaar geslagen en uitgelachen omdat je een ietsiepietsie anders bent.'

Ook al was Ferrie de eerste om toe te geven dat hij meer dan een ietsiepietsie anders was, toch vond hij dat zijn moeder behoorlijk overdreef. Hem thuishouden om te zorgen dat andere kinderen hem niet konden pesten en uitlachen, was in zijn ogen hetzelfde als een splinter weghalen door de hele hand af te hakken. Het beoogde effect werd bereikt, maar tegen welke prijs?

Die prijs is gewoon te hoog, dacht hij, terwijl hij de post

op de mat hoorde vallen. Zuchtend liep hij naar de voordeur, om de gebruikelijke verzameling rekeningen en reclamekrantjes te gaan halen. Er was altijd alleen maar post voor zijn ouders. Voor hem zat er nooit iets bij. Deze keer ontdekte hij echter tot zijn verbazing een kleine, blauwe envelop, geadresseerd aan "Ferrie Benjamin".

'Dat ben ik,' zei hij ademloos.

Als in trance maakte hij de envelop open. Die bleek een uitnodiging te bevatten voor een feestje. En niet zomaar een feestje... Hij werd uitgenodigd om te blijven slápen bij een stel kinderen een eindje verderop in de straat. Ferrie kende hen natuurlijk niet persoonlijk – hij kende helemaal geen kinderen van zijn eigen leeftijd – maar blijkbaar was er iemand die medelijden had gekregen met de kleine, vreemde jongen in een van de modellen c.

Ferrie las de uitnodiging twee keer, om er zeker van te zijn dat hij het niet verkeerd had begrepen. En daarna nog een keer. Toen hij echt zeker wist dat hij niet droomde, liet hij de brief aan zijn ouders zien.

'Geen sprake van,' zei zijn vader, na een blik op de uitnodiging.

'Maar waaróm niet?' vroeg Ferrie verontwaardigd. 'Ik ben heel braaf geweest, ik heb al mijn huiswerk gemaakt, en mijn aardrijkskunde heb ik ook al gedaan.'

'Lieverd, wat je vader bedoelt, is dat we het je natuurlijk ontzettend zouden gunnen,' zei zijn moeder. 'Maar stel je voor dat je een van je "nachtmerries" krijgt?'

Een van zijn nachtmerries.

Het was inmiddels jaren geleden dat Ferrie, waar andere mensen bij waren, een rampzalige nachtmerrie had gehad, maar bij de gedachte begonnen zijn knieën nóg te knikken van angst. En toch... Dit was een kans. Dit was zijn kans om eindelijk echte vrienden te maken.

Die kon hij niet voorbij laten gaan.

En dus smeekte hij zijn ouders om te mogen gaan. Hij soebatte, hij bood aan een jaar lang de afwas te doen, om het gras te maaien en Frans te leren. Het was al zo lang geleden dat hij zijn laatste, onbeschrijfelijke nachtmerrie had gehad, dus was hij er vast en zeker overheen gegroeid, pleitte hij. En toen het allemaal niets leek te helpen, zei hij ten slotte dat hij met Kerstmis én met zijn verjaardag geen cadeautjes hoefde, als hij maar naar dit slaapfeestje mocht.

Dan hoefde hij de eerstkomende twee jaar geen cadeautjes!

Desnoods de komende drie jaar!

Na heftig overleg achter gesloten deuren gingen zijn ouders uiteindelijk door de knieën. En zo kwam het dat Ferrie later die avond, tot zijn eigen verbazing en met een weekendtas over zijn schouder, de treden beklom naar de voordeur van een huis waar mensen woonden die hij niet kende.

'Als er iets verschrikkelijks gebeurt, dan weet je ons te vinden, hè?' vroeg zijn moeder, die achter hem liep, nerveus.

'Ja, mam, ik weet hoe ik een telefóón moet gebruiken.'

'Moeten we nog even vlug een van de Fu's doornemen die ik je heb geleerd?' bood zijn vader aan. 'Kung Fu of Gong Fu of –'

'Nee, pap, laat maar. Ik hoef hier toch niet te vechten? Maak je nou maar geen zorgen, het komt allemaal goed.'

'We hadden het nooit goed moeten vinden,' zei zijn moeder tobberig. 'Blijven slápen nog wel! We lijken wel gek!'

'Het komt allemaal goed,' herhaalde Ferrie, met een verlangende blik op de jongens binnen, voor wie het feest duidelijk al was begonnen. 'Ik krijg geen nachtmerrie. Écht niet. Jullie moeten een beetje meer vertrouwen in me hebben.'

'Natúúrlijk vertrouwen we je, knul.' Meneer Benjamin gaf Ferrie een mobiele telefoon. 'We wéten dat het allemaal goed gaat, maar mocht er toch iets gebeuren, ik heb ons vaste nummer op een voorkeurtoets gezet. Dan kun je ons meteen bellen als er echt iets rampzaligs gebeurt.'

'Bedankt, pap.' Berustend pakte Ferrie de telefoon aan.

'En ik heb ook een paar oordoppen in een plastic zakje in je rugzak gedaan,' voegde zijn moeder eraan toe. 'Die kun je indoen als de andere kinderen je plagen en lelijke dingen tegen je zeggen.'

'Oké, mam.' Zijn ouders bleven maar staan, terwijl Ferrie vurig wenste dat ze vertrokken.

'Nou ja,' zei meneer Benjamin ten slotte. 'We moesten maar eens gaan. Je weet hoeveel we van je houden, zoon. We hebben het volste vertrouwen in je en we zijn ervan overtuigd dat er vannacht niets rampzaligs of catastrofaals gebeurt.'

'Precies. Er gebeurt helemaal niks,' zei Ferrie. 'Het gaat allemaal prima. Daar zorg ik voor.'

En het ging ook allemaal prima... Tenminste, in het begin. Ferrie speelde computerspelletjes, at pizza en keek naar horrorfilms voor boven de dertien. Tot zijn verbijstering dacht hij zelfs dat hij bezig was vrienden te worden met een van de kinderen, een lange blonde jongen die door iedereen GW werd genoemd, de afkorting voor De Grote Winnaar omdat hij zo ontzettend goed was met videospelletjes.

Ferrie had zijn leven lang nog nooit zo veel plezier gehad. Toen werd het tijd om te gaan slapen.

Achteraf waren de meningen verdeeld over wat er precíés gebeurde in de 'Gruwelnacht bij pyjamafeest', zoals de kranten al snel kopten. Bepaalde feiten stonden echter onomstotelijk vast. Om een uur of drie 's nachts klonk er in de kamer waar de kinderen sliepen, een verschrikkelijk geschreeuw en gebonk. Toen de vader en moeder van het kind bij wie het feestje werd gehouden, er eindelijk in slaagden de deur open te krijgen, bleek dat alle kinderen aan het plafond hingen, stijf ingekapseld in cocons van uitzonderlijk taai spinrag. Alle kinderen op één na. En dat was Ferrie. Hij zat rechtop in bed en keek geschokt naar het verbrijzelde slaapkamerraam.

'Lieve hemel, wat is híér gebeurd?' bracht de vader hijgend uit toen hij de kinderen als een soort kerstversiering boven zijn hoofd zag hangen.

'Er was een spin! Een hele grote spin!' Ferrie wees naar de gebroken ruit. 'Hij is door het raam weer vertrokken. Het was niet mijn schuld.'

Er was niemand die Ferrie met zo veel woorden de schuld gaf. Het was tenslotte ondenkbaar dat een kind van dertien iets dergelijks zou hebben gedaan, en dan nog wel met zo veel kinderen. Toch vroeg zelfs de verslaggever van de plaatselijke krant zich af waarom Ferrie als enige ongemoeid was gelaten door de 'reuzenspin' – een vraag die Ferrie ook niet losliet. Dus al werd hij door niemand ergens van beschuldigd, nadat ze waren losgesneden en weer bij kennis gebracht, wilde geen van de kinderen nog met hem praten. Ze keken hem niet eens meer aan. Zelfs GW niet. Ferrie was die avond gaan slapen in de veronderstelling dat hij eindelijk een vriend had, maar bij het wakker worden bleek hij aanleiding te zijn tot angst en paniek.

Niet voor het eerst, overigens.

Sterker nog, bijna vanaf zijn geboorte hadden slaap en Ferrie Benjamin een explosieve combinatie gevormd. De allereerste ramp buitenshuis had zich voorgedaan toen hij met de andere kinderen van Kinderdagverblijf Duimelot zijn middagdutje deed.

Ferrie was toen drie.

Ook al wist hij niet veel meer van de nachtmerrie die hij had gehad toen ze op matten in de verduisterde speelruimte lagen, hij herinnerde zich nog levendig zijn eigen gekrijs en gehuil. Het geluid dat hij had voortgebracht, had niets menselijks gehad. Toen de peuterleidsters waren binnengestormd, gealarmeerd door de verbijsterende herrie, en de kleine Ferrie was wakker geschrokken, bleek dat de speelruimte totaal was verwoest.

Het kleurige behang met voorstellingen uit kinderversjes hing in repen van de muur, alsof het door klauwen was afgescheurd. Het aquarium lag in gruzelementen tegen een omvergegooide boekenkast, de vissen hapten wild flapperend naar lucht. Glasscherven, afkomstig van het achterraam, bedekten als een glinsterende lawine een ezel, die vertrapt op de grond lag.

'Wat is er gebeurd?' vroeg de leidster. Haar gezicht zag asgrauw.

'Het spijt me,' antwoordde de kleine Ferrie bevend. 'Ik... ik... ik wou het niet. Echt niet.'

'Heb jíj dit gedaan?' vroeg de lerares ongelovig.

Ferrie knikte. 'Er gebeuren soms hele nare dingen als ik akelig droom.'

Het patroon was altijd hetzelfde.

Wanneer hij ging slapen, in zijn zachte, warme bed, leek alles in orde. Tenminste, in het begin. Maar wanneer het eenmaal nacht was, kwam er een moment waarop de stilte in huis werd verscheurd door een verschrikkelijk snuiven en grommen. Tegen de tijd dat zijn ouders zijn slaapkamer kwamen binnen stormen, heerste daar totale chaos: de vulling van Ferries matras lag overal verspreid, het vloerkleed was gescheurd, de ramen waren stukgeslagen. En ook al hadden ze hem nooit betrapt terwijl hij onder invloed van een akelige droom zijn kamer vernielde, toch konden ze tot geen andere conclusie komen dan dat hij het moest hebben gedaan. Dat was de enige verklaring die hout sneed. Met als gevolg dat Ferrie er al tegen opzag om te gaan slapen, bang voor wat hij bij het wakker worden zou aantreffen.

Het incident tijdens het middagdutje (dat de geschiedenis in ging als het 'Dutjesdrama'), werd al snel een legende, en het duurde niet lang of de andere kinderen begonnen 'Ferrie Nachtmerrie' te scanderen als hij kwam langslopen. Zijn ouders werden bij het hoofd van het kinderdagverblijf ontboden, en er werd hun in zorgvuldig gekozen bewoordingen duidelijk gemaakt dat Ferrie niet langer welkom was bij Duimelot.

'De andere kinderen zijn báng voor hem,' aldus het hoofd, met een dodelijk ernstige blik op Olga en Wunibald. 'Sterker nog, ze weigeren hun dutje te doen wanneer hij in de kamer is, en dat is absoluut onaanvaardbaar. Het middagdutje is voor onze peuters een van de pijlers van hun belevingswereld, hier in het kinderdagverblijf. Het fundament onder het leerplan. Zonder middagdutje is chaos onvermijdelijk en valt onze hele organisatie in duigen!'

'Ik ben me bewust van de passie, de gedrevenheid waarmee u leidinggeeft aan dit kinderdagverblijf,' zei Ferries vader zo beheerst mogelijk. 'Maar als u denkt dat Ferrie er de óórzaak van is dat de andere kinderen uit hun doen raken –'

'Dan moeten we u uit de droom helpen, want dat is niet zo!' zei Ferries moeder nijdig, terwijl ze haar zoon met haar warme, sterke handen liefkozend over zijn rug wreef. 'De andere kinderen plagen en treiteren hém. Niet andersom.

Mijn hemel, weet u hoe ze hem noemen? "Ferrie Nachtmerrie"!'

'Inderdaad,' viel Wunibald zijn vrouw bij. 'Wat ik zou willen voorstellen, is dat Ferrie in een afgezonderd hoekje van de speelruimte wordt neergelegd, terwijl de kinderen hun middagdutje doen.'

Het hoofd schonk hem een van afschuw vervulde blik. 'Daarmee zouden we ons op een hellend vlak begeven, dus daar kunnen we niet aan beginnen. Als ik voor één kind een uitzondering maak, moet ik dat binnen de kortste keren ook voor andere kinderen doen. En voor we het weten, heb ik alleen nog maar uitzonderingen, als u begrijpt wat ik bedoel.' Hij schudde somber zijn hoofd. 'Nee, het is onvermijdelijk. De wegen van Duimelot en Ferrie Nachtmerrie... eh, Ferrie zullen zich moeten scheiden.'

Duimelot was de eerste peuterschool waar Ferrie niet langer welkom was, maar bepaald niet de laatste. SamSam, Het Kwetternest, Ukkie en Het Sprookjesbos volgden spoedig. Toen kwam er echter een eind aan de verschrikking dat kinderdagverblijven niet langer prijs stelden op Ferries aanwezigheid, simpelweg omdat hij oud genoeg was om naar de kleuterschool te gaan. Daar herhaalde het treurige patroon zich, en bij de ene na de andere school kreeg hij al na korte tijd te horen dat hij niet meer hoefde terug te komen.

Ferrie was toen zes.

'Ik weet wel dat hij volgens u niets mankeert,' zei het hoofd van basisschool De Hoeksteen allervriendelijkst en enigszins slissend vanwege de beugel die hij droeg – een rattennest van rottend voedsel, een soort archeologische opgraving waarin alles was terug te vinden wat hij die week had gegeten. 'Maar volgens onze schoolpsycholoog lijdt hij aan een reeks van ernstige problemen. Búítengewoon ernstige problemen zelfs. Om precies te zijn, luidt de diagnose... Eens even kijken...' Meneer Krup pakte een dossiermap en sloeg die open. 'Ja, hier staat het. OCATSPI.'

'Dat zijn wel erg veel letters voor zo'n kleine jongen.' Meneer Benjamin sloeg beschermend een arm om Ferries smalle schouders.

'En u kunt van me aannemen dat ze allemaal van toepassing zijn op uw zoon. De afkorting staat voor Obsessief-Compulsieve Aandachts-Tekort-Stoornis die leidt tot Psychische Instorting.' Meneer Krup legde de map weer neer en keek Ferrie doordringend aan, terwijl hij een geplette maïskorrel tussen zijn kiezen vandaan peuterde. 'Als openbare school zijn we wettelijk verplicht uw zoon onderwijs te geven. We denken echter dat het in het belang is van Ferrie Nachtmerrie – neemt u me niet kwalijk, in het belang van Ferrie – dat hij wordt afgezonderd van de andere leerlingen en les krijgt in een mobiel noodgebouw buiten het terrein van de school, waar hij alleen omgang heeft met kinderen bij wie een soortgelijke letterrijke diagnose is gesteld. Dus als u hier even wilt tekenen...'

Hij schoof Ferries ouders een formulier toe.

Ferries moeder schoof het terug.

'Nee,' zei ze.

'Pardon?'

'U en de andere kinderen mogen Ferrie dan misschien niet aardig vinden, meneer Krup, maar zal ik u eens wat vertellen? U begrijpt hem gewoon niet. Want Ferrie is een wonder. En als u dat niet ziet, dan verdient u hem niet. Hij vertrekt hier vandaag nog en hij komt niet meer terug. Nooit meer.' Olga stond op, met een triomfantelijke glimlach om haar mond. 'Tot ik een school vind die hem niet meteen laat vallen, geef ik hem zelf les.'

En dat deed ze.

De daaropvolgende zeven jaar ging Ferrie ging naar school in de beschermde omgeving van hun model c. Tot de Gruwelnacht van het pyjamafeest, toen die bescherming niet langer standhield.

Hoe komt het toch dat ik zo'n freak ben, vroeg Ferrie zich af. Hij zat op de bank en keek uit het grote voorraam, in de hoop een glimp op te vangen van de buurtkinderen wanneer ze uit school kwamen. Ook al kon hij dan niet met hen spelen, hij kon tenminste naar hen kijken. De Gruwelnacht van het pyjamafeest was inmiddels bijna een week geleden, en hij was nog altijd niet bekomen van de schok.

Aan het eind van het blok kwam de schoolbus die de leerlingen van het Stedelijk Lyceum thuisbracht, kreunend en enigszins hortend en stotend tot stilstand. De harmonicadeur ging open, en de leerlingen stroomden naar buiten, met uitpuilende rugzakken over hun schouders, kauwgom kauwend en elkaar speels en lachend aanstotend. Ferrie had GW al snel in de gaten. Hij haalde een frisbee uit zijn schooltas en gooide die naar een van de andere kinderen.

Ferrie stak zijn hand op en wuifde. GW zag hem, schonk hem een ijzige blik en keerde zich toen weer naar de andere kinderen.

'Denk je dat er ooit een dag komt waarop ze mij niet langer de schuld geven?' vroeg Ferrie aan zijn moeder. 'Van dat ze in cocons aan het plafond hingen, bedoel ik?'

Hij wist dat het antwoord nee was, maar tot zijn verbazing haalde zijn moeder simpelweg haar schouders op, amper opkijkend van de soapserie waar ze 's middags altijd naar keek. Ze was de laatste paar dagen zo veranderd. Hij herkende haar bijna niet meer. Het leek wel alsof ze elke interesse in hem was verloren. Dat was niets voor haar. Ferrie hoopte dat ze iets onder de leden had – een griepje of zo

– want nadat ze al die jaren in hem was blijven geloven, zou hij de gedachte niet kunnen verdragen dat ze hem door het meest recente drama had opgegeven.

'Ik wil volgend jaar naar school. Naar een gewóne school,' zei Ferrie die avond tijdens het eten tegen zijn ouders.

'Ferrie, daar hebben we het al diverse keren over gehad,' antwoordde Wunibald. 'Moet ik je nu weer herinneren aan de Gruwelnacht van het pyjamafeest?'

'Maar daar kon ik niks aan doen!' riep Ferrie. 'Iedereen blijft mij de schuld geven, maar ik heb helemaal niks gedaan. Dat heb ik toch gezegd! Er was een spin, een hele grote spin! Ik heb hem zelf gezíén!'

'Hou er alsjeblíéft over op.' Meneer Benjamin masseerde zijn slapen. 'En laten we dit gesprek als beëindigd beschouwen.'

'Nee! Op school kan ik geen nachtmerrie krijgen, want daar zit ik alleen overdag. Dus waarom zou ik niet naar school kunnen, net als alle kinderen?'

'Omdat de andere kinderen je het leven wel zo verschrikkelijk zúúr zouden maken!' Meneer Benjamin had het nog niet gezegd, of zijn gezicht verried dat hij er spijt van had. 'Natuurlijk heb je overdag geen last van nachtmerries, maar dat maakt niet uit. Ze hebben je allang een etiket opgeplakt. Je bent nu eenmaal ánders, Ferrie... en dus word je gepest. Helaas, zo gaan die dingen.' Hij keek op de klok. 'Tijd om naar boven te gaan, zoon. Naar bed.'

'Maar dat wil ik niet. Ik wil –'

'Ferrie!' De stem van zijn vader klonk als een stenen deur die dichtviel.

Ferrie stond op van tafel en stormde de kamer uit.

Meneer Benjamin slaakte een diepe zucht en keerde zich naar zijn vrouw, die er al die tijd het zwijgen toe had gedaan. 'Hoe ouder hij wordt, hoe moeilijker het wordt om hem binnen te houden. We doen het natuurlijk voor zijn eigen bestwil, omdat we hem willen beschermen, maar ooit zullen we hem moeten loslaten. Ik vind het verschrikkelijk om te zeggen, maar uiteindelijk zal hij toch op eigen kracht de confrontatie met de wereld moeten aangaan.'

Olga wendde zich af, zonder een woord te zeggen.

'Voel je je wel goed, lieverd? Je wordt toch niet ziek?'

Ze schudde haar hoofd. Liefkozend nam meneer Benjamin haar hand in de zijne.

'Ik weet wat je denkt. Het liefst hield ik hem ook de rest van zijn leven veilig binnen. In de wereld hierbuiten geldt de wet van de jungle, en een jongen als Ferrie, een geweldige, óngewone jongen, tja...' Hij schudde verdrietig zijn hoofd. 'Die gaat het daar heel, heel moeilijk krijgen.'

De gloed van de sterren die Ferrie op het plafond boven zijn bed had geplakt, begon zwakker te worden. De muren van zijn kamer waren bekleed met een zachte schuimlaag. Er zat geen glas in de ramen en er was niets scherps of zwaars, waaraan hij zich zou kunnen bezeren als hij ermee gooide of als het brak tijdens een bijzonder verwoestende nachtmerrie. Alle meubels waren voorzien van afgeronde hoeken en bekleed met een dikke laag zacht materiaal, de ramen waren van veiligheidsplastic. Het gaf Ferrie soms het gevoel alsof hij in een inrichting woonde, waar hij moest worden beschermd tegen zichzelf en tegen de verschrikkelijke dingen die er gebeurden als hij sliep.

Zoals gebruikelijk wilde de slaap maar niet komen.

Hij probeerde zijn hoofd leeg te maken en de krankzinnige gedachten die door zijn hoofd zoemden, te verdringen door zich te concenteren op twee nieuwe toevoegingen aan zijn 'Opschrijfboek voor Waanzinnig Coole Uitvindsels'. De eerste (uitvindsel nummer 47) was een idee voor een 'Waanzinnig Cool Laserhorloge' met een lichtstraal, krachtig genoeg om dieven en ander gespuis even te verblinden zodat je de tijd had om weg te komen. De tweede toevoeging (uitvindsel nummer 48) was een handzaam instrumentje, voorzien van een buitengewoon complexe computerchip, dat in staat was geuren te identificeren voor mensen die – bijvoorbeeld als gevolg van een ongeluk – hun neus of hun reukvermogen waren kwijtgeraakt. De 'Waanzinnig Coole Geurenmeter', zoals hij het noemde.

Hij had geen idee hoe hij de uitvindsels die hij bedacht, ooit zou kunnen realiseren, maar daar ging het niet om. Voorlopig telde alleen het idee.

Op de vensterbank buiten het raam zat een eekhoorn op een nootje te knabbelen. En boven op zolder waren er blijkbaar nog meer, getuige het zachte gekrabbel dat hij hoorde. Het was een merkwaardig rustgevend geluid.

Zonder het te beseffen viel Ferrie ten slotte in slaap.

De droom begon goed. Hij was met een stel kinderen op de sportvelden van de school. Ze gooiden een frisbee naar elkaar. Het waren de kinderen die hij had leren kennen tijdens de Gruwelnacht van het pyjamafeest, maar blijkbaar waren ze niet meer bang voor hem. GW gooide de frisbee naar Ferrie, maar het ding werd door een onverwachte windvlaag meegevoerd, heel ver over het veld. Ferrie rende erachteraan, vloog met verbluffende snelheid over het net gemaaide gras. Hij sprong over een voetbaldoel, maakte een draai in de lucht en wist de frisbee met een spectaculaire redding te pakken te krijgen.

'Dat is de beste vangbal die ik ooit heb gezien!' riep GW.

'Ach, het ging vanzelf,' zei Ferrie, zo nonchalant mogelijk.

'We gaan een slush halen. Ga je mee?' vroeg een van de

andere kinderen, wijzend naar de glimmende ijsmachine die langs de kant van het veld stond. 'Op een hete dag als vandaag is er niks lekkerder dan een ijskoude slush met je vrienden.'

'Klinkt goed.' Ferrie volgde de kinderen naar het apparaat dat van binnenuit een zachte gloed leek uit te stralen.

GW trok aan de hendel en vulde een beker van piepschuim met rode sneeuwbrij.

'Deze is voor mij,' zei hij. 'Wat wil jij? Rood of blauw?'

'Rood,' zei Ferrie. 'Net als jij.'

GW zette een nieuwe beker onder de tap en haalde de hendel over. Er gebeurde niets. 'Wat raar,' zei hij. 'Zou hij verstopt zitten?' Hij stak zijn vinger in de tapkraan, op zoek naar de verstopping.

'Voel je iets?' vroeg Ferrie.

'Nee, nog niet,' zei GW. 'Hé... Mijn vinger zit klem!'

Hij probeerde hem uit het apparaat te trekken, maar de vinger zat muurvast. Terwijl hij uit alle macht worstelde om los te komen, werd de hemel steeds donkerder en er begon een felle, koude wind te waaien. Donderwolken kwamen aanrollen.

'Misschien moet iemand hulp gaan halen.' Ferrie keerde zich naar de andere kinderen, maar zag tot zijn verrassing dat ze verdwenen waren. Iedereen was weg. Hij was alleen met GW, die nog altijd wanhopig probeerde zijn vinger uit het apparaat te trekken.

Er klopt iets niet, dacht hij.

Plotseling kwam het ijsapparaat zoemend weer tot leven. Uit de kraan begon bevroren rode sneeuwbrij te stromen. Maar die liep via de vinger van GW zijn lichaam in, zodat hij als een soort ballon werd opgeblazen.

'Help me dan toch!' riep GW. 'Dat doet pijn!'

Ferrie probeerde uit alle macht de hendel om te zetten,

maar het lukte niet. Het gezicht van GW begon op te zwellen, zijn kleur veranderde... van roze... naar rood...

'Ik krijg het zo kóúd!' bracht hij kreunend en bibberend uit. 'Je moet me helpen!'

'Dat probeer ik ook!' riep Ferrie radeloos, niet wetend wat hij moest doen. GW's gezicht zwol hoe langer hoe meer op, grotesk, als van een ballonnenbeest. Zijn huid verkleurde van dieprood tot donkerpaars, de kleur van rotte pruimen. De harde, venijnige wind was zo koud, dat Ferrie zijn adem kon zien.

Zonder dat hij het had gemerkt, was het avond geworden.

Hij keek op en zag hoog boven zich de sterren... maar ze zagen er te perfect uit, zwak gloeiend en met vijf scherpe, duidelijk afgetekende punten. Ineens besefte hij dat het de sterren op het plafond van zijn slaapkamer waren. Toen hij weer naar beneden keek, zag hij tot zijn schrik dat hij inderdaad terug was in zijn slaapkamer. Samen met het angstaanjagende wezen waarin GW was veranderd.

Het zag eruit als een soort schorpioen, met een gladde, donkerpaarse, bijna zwarte huid, strak gespannen over een gezwollen lijf dat tot barstens toe gevuld was met sappen. Aan het eind van de lange, onnatuurlijk dunne armen zaten scherpe klauwen die een ratelend geluid maakten. Boven de kop wuifde een vervaarlijke, skeletachtige staart met een angel, langer dan Ferries onderarm, en een slangentong schoot de gehoornde bek in en uit, metaalachtig glanzend, als van zilver.

Ferrie wilde schreeuwen, hij wilde om hulp roepen, om althans íéts te doen, maar zijn mond was plotseling kurkdroog, en zijn hartslag klonk als mortiervuur in zijn oren. Terwijl het schepsel dichterbij kwam, stak Ferrie zijn hand uit naar het potlood op zijn nachtkastje, naast zijn *Op-*

schrijfboek voor Uitvindsels. Hij raapte al zijn moed bij elkaar en prikte met het potlood in zijn hand. 'Wakker worden!' riep hij keihard.

Met een kreet schrok hij wakker uit zijn nachtmerrie. Hij was zo bezweet, dat zijn haar aan zijn voorhoofd plakte, en zijn hart ging zo tekeer dat hij dacht dat zijn ribben zouden breken.

'Ik durf nooit meer te gaan slapen.' Hij liet zich uit bed glijden en liep voorzichtig, op de tast, de donkere kamer door naar de smalle, troostrijke streep licht onder de deur naar de gang.

Zijn hand raakte iets.

Het schepsel uit zijn nachtmerrie stond in de kamer!

'Nee,' bracht Ferrie hijgend uit.

Hoog boven hem uittorenend hief het zijn lange, gekromde angel, klaar om toe te steken. Uit de punt sijpelde een dikke, giftig uitziende vloeistof. Ferries knieën begonnen te knikken, en hij liet zich op de grond zakken.

'Niet doen!' bracht hij uit.

De staart van het monster schoot fluitend door de lucht, met de kracht van een moker.

Op dat moment werd het raam naar binnen gedrukt, zodat het in duizenden stukken uiteenspatte. Een grote man sprong door het verbrijzelde raam de kamer binnen. Hij maakte een beweging met zijn arm, zo vliegensvlug dat het leek alsof de tijd versnelde. Een verblindende, blauwe lichtflits als van een bliksemschicht laaide voor Ferrie op. Het licht slingerde zich om de angel van het schorpioenachtige wezen, zodat die werd afgebogen en zich in de houten vloer boorde. Houtsplinters vlogen naar alle kanten in het rond.

De onbekende landde met een dreun op de grond, greep Ferrie bij de voorkant van zijn pyjamajasje en trok hem overeind, bij het monster vandaan. Hij zag eruit als een cowboy. Een stoffige spijkerbroek met daaronder laarzen van geolied leer. Op zijn brede voorhoofd rustte een versleten cowboyhoed, en in zijn rechterhand hield hij een lasso die een soort elektrisch blauwe gloed verspreidde. Plotseling besefte Ferrie dat het de lásso was die om de angel van het monster was geslingerd.

'*Howdy*!' zei de cowboy met een scheve grijns. 'Leuk je eindelijk te leren kennen. Zo te zien kom ik net op tijd.'

Hoofdstuk 2

Een Zilvertong van de Vijfde Categorie op volle sterkte

'Wie bent u?' Ferrie staarde de vreemdeling die ineens in zijn slaapkamer stond, geschrokken aan.

'De naam is Max,' antwoordde de cowboy. 'Je zit ongetwijfeld met een hele waslijst aan vragen, en ik beloof je dat je daar antwoord op krijgt. Ervan uitgaande dat we dit overleven, natuurlijk. Maar je moet even geduld hebben. Want we krijgen stront aan de knikker.'

'We kríjgen stront aan de knikker?' Ferrie gebaarde naar het monster dat uit alle macht probeerde zijn angel uit de houten vloer te bevrijden.

Max begon te lachen. 'Wacht maar eens af. Als die ouwe Zilvertong eenmaal begint te zingen, verlang je terug naar dit moment.'

'Te zíngen?' herhaalde Ferrie verward.

En inderdaad, het monster sperde zijn bek open en stak zijn abnormaal lange, zilveren tong uit, draaiend en trillend als een stemvork. Er kwamen geen woorden uit zijn bek, alleen tonen, maar ze klonken verrukkelijk, als gesponnen zilver, en verbazingwekkend complex.

'Hè, nee,' bracht Max kreunend uit. Toen keerde hij zich naar het raam. 'Tabitha, lieverd, waar blijft mijn poort?'

'Ik ben bezig!' antwoordde een vrouwenstem. Ferrie draaide zich om en zag een knappe vrouw met kort rood haar door het verbrijzelde raam naar binnen klimmen. Haar lange broek was smaragdgroen, net als haar ogen. Om haar hals en haar vingers schitterde een uitzonderlijke hoeveelheid kettingen en ringen.

'Aha, daar is mijn flonkerkoningin!' zei Max. 'Je bent een feestje voor het oog, zoetelief.'

'Ik wil niet dat je me zo noemt!' zei ze nijdig, terwijl ze met grote stappen naar hem toe liep.

'Je kunt het krijgen zoals je het hebben wilt, suikerpop.' De cowboy grijnsde.

Duidelijk geërgerd zette Tabitha haar kiezen op elkaar. Toen stak ze haar rechterhand uit. Vurige paarse vlammen begonnen over haar lichaam te dansen en vulden de lucht met elektriciteit. Ferrie voelde dat de haren op zijn armen en benen overeind gingen staan. Het schepsel zong door – sneller, intenser. Ondanks zichzelf was Ferrie onder de indruk van de vreemde schoonheid van die stem.

'Het is ongelooflijk,' mompelde hij.

'Ja, tot hij zijn volle sterkte bereikt,' zei Max. 'Dan piep je wel anders.'

'O? Wat gebeurt er dan?'

'Dan barsten onze hoofden uit elkaar.'

'Dan bársten onze hóófden uit elkaar?' herhaalde Ferrie ademloos.

'Ja, een buitengewoon boeiend fenomeen,' klonk een andere stem. Ferrie keerde zich weer naar het raam en zag dat een korte, zweterige man met een keurig verzorgde baard probeerde over het venijnig gekartelde veiligheidsplastic te klimmen. Hij was gekleed in een donker, driedelig, wollen pak – veel te heet voor een warme avond als deze. 'Ik zal het je uitleggen,' vervolgde hij, terwijl hij het zweet van de punt van zijn lange neus veegde en gromde van inspanning. 'De precieze frequentie van de laatste noot van de Zilvertong –

hè, dat ellendige raam ook! – zorgt ervoor dat de lucht in de voorhoofdsholte van de mens op zo'n hoge snelheid begint te trillen, dat de schedel er letterlijk door wordt verbrijzeld. Het is een bijzonder doeltreffende aanvalsstrategie.'

'Nee maar! Hoe bedenk je het?' vroeg Max.

'Omdat ik nádenk, anders dan jij,' luidde de vinnige repliek van de man met de baard, die nog altijd worstelde om binnen te komen. 'En ik zou je eraan willen herinneren dat je niet wordt geacht actie te ondernemen zonder mijn toestemming. Je kent de regels.'

'O sorry, ouwe knijperd, wat zei je? Ik was even afgedwaald met mijn gedachten.'

'Ik vind het afschuwelijk als je me zo noemt!' bracht de aldus aangesprokene kreunend uit. 'De naam is Kneep!'

'En ik vind het afschuwelijk om mijn tijd te verspillen aan geruzie met een wezel zoals jij. Zeker als ik moet afrekenen met een Zilvertong van de Vijfde Categorie die zijn strot op volle kracht openzet.'

'Het is er een van de Vierde Categorie.' Kneep landde met een dreun op de vloer van de slaapkamer.

'Niet, van de Vijfde!' snauwde Max. 'Tel die verrekte stekels op zijn staart maar. Of kun je niet tellen?'

Ferrie keek naar de stekels op de staart van het monster. 'Ja, dat zijn er vijf,' zei hij instemmend.

'Zie je nou wel, Kneep? Zelfs een kínd kan het zien.'

Plotseling rukte de nog altijd zingende Zilvertong zijn angel uit de houten vloer, met een geluid als van een roestige spijker die uit een plank wordt gewrikt. De glinsterende staart schoot uit de lasso en haalde uit naar Max, die net op tijd achteruitsprong, zodat hij met een fluitend geluid rakelings langs zijn gezicht schoot.

'Hoe zit het met die poort, prinses?' riep de cowboy.

'Die komt eraan!' riep Tabitha terug.

'Dat is een hele rust.' Opnieuw moest Max wegduiken voor een giftige zweepslag van de staart. Hij deed het met de sierlijkheid van een stierenvechter, trok een kort zwaard (dat ook al een blauwe gloed verspreidde) van zijn riem en pareerde daarmee de zwaardvormige angel.

Het gezang van het schepsel was veranderd in een vage klankenbrij. Ferries hele hoofd trilde ervan, als een machine om verf mee te mengen, en hij had het gevoel alsof zijn ogen uit hun kassen zouden knallen.

'Doe iets!' smeekte Kneep. 'Hij is bijna op volle sterkte!'

'Wat is hier aan de hand?' klonk plotseling een stem op de gang. 'Ferrie, is alles goed met je?'

'Dat is mijn vader.' Ferrie vertrok zijn gezicht. 'Ik word geacht in bed te liggen.'

Op dat moment werd het hele lichaam van de vrouw omhuld door paarse vlammen. Er joeg een vlaag hete lucht door de kamer, en plotseling verscheen er een grote poort, als een deuropening. Midden in Ferries slaapkamer. Een grote, ronde poort, misschien wel drie keer zo breed als Ferries bed. Paarse vlammen dansten langs de rand; dezelfde vlammen die ook de vrouw omhulden.

Max glimlachte. 'Zo mag ik het zien, meisje.'

De deur van de slaapkamer vloog open, en meneer Benjamin stormde naar binnen. 'Ferrie, heb je weer een nachtme–' Er verscheen een geschokte uitdrukking op zijn gezicht en hij bleef met een ruk staan. 'W-wat is hier aan de hand?'

De Zilvertong keerde zich naar hem toe.

Max maakte onmiddellijk gebruik van het moment. Hij stortte zich met zijn volle gewicht op het monster, dat naar achteren wankelde, waardoor de laatste, dodelijke toon werd afgebroken. Strompelend haastte het monster zich de poort door, en het volgende moment was het verdwenen.

Ferrie rende eropaf, om te kijken waar het schepsel was gebleven.

Hij was geschokt door wat hij zag.

De poort leek te zweven, hoog boven een vreemd – om niet te zeggen bizar – landschap. Heel ver in de diepte was een wirwar van mosterdgele kristallen te zien, als een enorme kluwen van prikkeldraad. Bij de onzachte landing van de Zilvertong braken sommige kristallen, het monster sneed zich aan alle kanten aan de vlijmscherpe punten, en het duurde niet lang of het was uit het gezicht verdwenen, opgeslokt door het dodelijke struikgewas.

'Wauw!' riep Ferrie uit, die het vol ontzag had zien gebeuren.

Max sprong overeind en stak het korte zwaard weer in de schede aan zijn riem. 'Zo doen we dat!' zei hij met een zelfingenomen grijns. 'Soms sta ik versteld van meze–'

Plotseling stortte zich met een afschuwelijk gekrijs een reusachtige, karmozijnkleurige vleermuis uit de vreemde, rode hemel. Het schepsel vloog door de opening, die zich nog niet had gesloten, en greep Max met zijn gekromde klauwen. Woest met zijn vleugels klapperend trok hij de cowboy naar achteren, in de richting van de poort en de vreemde wereld aan de andere kant daarvan.

'Max!' gilde de vrouw.

Bijna onmiddellijk schoot de lasso van Max de kamer in. Hij miste Ferries wang op een haar na, wikkelde zich met een geluid als een zweepslag om de knop van de slaapkamerdeur en trok strak. Aan het andere uiteinde begon Max uit alle macht te trekken, wild heen en weer bewegend als een vlieger in een orkaan, terwijl het enorme, vleermuisachtige schepsel probeerde met hem weg te vliegen.

'Trekken!' riep Max. 'Trekken en níét loslaten!'

Tabitha en Ferrie grepen de lasso voor een wanhopige

wedstrijd touwtrekken met de vleermuis. Ondertussen ijsbeerde Kneep met een angstig gezicht de kamer op en neer. 'Ik heb hem nog zo gezegd dat hij mij om toestemming moest vragen vóórdat hij iets deed,' bracht hij kreunend uit. 'Nu zitten we met de gebakken peren.'

'Doe iets!' riep Max terwijl de vleermuis wild op en neer bewoog, als een haai aan een vislijn. 'En Kneep... hou je mond!'

'Schelden doet geen zeer,' zei Kneep. Toen keerde hij zich naar Ferries vader. 'Meneer Benjamin, hebt u toevallig bloem in huis?'

'Bloemen?'

'Nee, ik heb het niet over madelieven of petunia's, maar bloem! Zoals in de zin: "Ik heb bloem nodig om een taart te bakken".'

'O,' zei Ferries vader. 'Ik denk het wel.'

'Zou u dat dan alstublieft even willen gaan halen?' vroeg Kneep. 'Met enige haast, als dat niet te veel gevraagd is.'

'Natuurlijk. Ik doe het meteen.' Wunibald rende de kamer uit.

Het vleermuisachtige schepsel klapperde nog altijd woest met zijn vleugels. Met een geluid als van een voortdenderende vrachttrein trok hij Ferrie en Tabitha steeds verder in de richting van de open poort.

'Help!' riep Tabitha naar Kneep. 'Hij trekt ons het Nedergindse in!'

Ferrie keek door de poort naar beneden, naar de vlijmscherpe kristallen ver in de diepte, die hen zouden doorboren als ze vielen.

'Technisch gesproken ben ik hier alleen als adviseur en beleidsbepaler,' antwoordde Kneep.

'Help ons nou maar gewoon!' riepen Ferrie, Max en Tabitha in koor.

'Oké, vooruit dan maar.' Kneep pakte de lasso. Met één man meer slaagden ze erin Max terug te trekken in de richting van de slaapkamer. Op dat moment kwam Wunibald binnenstormen met een zak bloem.

'Hebbes!' riep hij hijgend.

'Uitstekend,' antwoordde Kneep. 'Gooi het op de Nedervleer!'

'De wat?'

'De vleermuis uit het Nedergindse!' bulderde Max. 'De enige reuzenvleermuis hier aanwezig die me probeert te vermoorden!'

'O,' zei Wunibald. Terwijl Ferrie, Kneep en Tabitha het schepsel door de geopende poort de slaapkamer in trokken, scheurde meneer Benjamin de zak open, waardoor er een ware sneeuwstorm van bloem werd ontketend. Door de wild klapperende vleugels van de Nedervleer werd het meel in het rond gewerveld, zodat het niet lang duurde of de hele kamer was gehuld in een wolk van fijne witte deeltjes. De Nedervleer sloeg tegen de grond en probeerde zich uit de voeten te maken, zwaaiend als een dronkenman.

'Wat is er aan de hand?' vroeg Ferrie.

'Nedervleren gebruiken, net als gewone vleermuizen, een vorm van sonar – echolocatie – om te kunnen zien,' antwoordde Kneep. 'De fijne meelkorrels verstoppen de zendertjes, wat erop neerkomt dat het beest blind wordt.'

'Bedankt, meneer de wetenschapper.' Max gaf het schepsel een harde stoot met zijn elleboog. Hoestend en proestend liet het hem los. Toen wipte Max met een snelle, vloeiende beweging de lasso van de deurknop en liet hem knallen als de zweep van een leeuwentemmer. De Nedervleer strompelde nietsziend de geopende poort door, tuimelde de diepte in en draaide diverse keren om zijn as tot hij eindelijk aan een van de vlijmscherpe kristallen punten werd gespiest.

'Sluit de poort,' zei Max.

Tabitha gebaarde met haar hand, waarop de poort met de vlammend paarse omlijsting dichtsloeg. Het werd doodstil om hen heen, terwijl het meel ging liggen en alles en iedereen bedekte met een vredige, witte sluier, die Ferrie op een krankzinnige manier aan Kerstmis deed denken.

'Wat is hier in vredesnaam aan de hand?' wist meneer Benjamin ten slotte uit te brengen. 'Wie bént u?'

'De naam is Max.' De cowboy pakte de hand van meneer Benjamin en schudde die ferm. 'Aangenaam kennis te maken. Ik ben Cowboy.'

'De juiste benaming is Uitdrijver.' Kneep snoof.

'Inderdaad. Juist, maar idioot. Dus ik hou het op Cowboy. En dit is Tabitha.' Hij gebaarde naar de vrouw. 'Ze is Poortjockey.'

'We geven er de voorkeur aan Nedermagiërs te worden genoemd.'

'En zoals u ziet, is ze tot over haar oren verliefd op me.'

'Niet waar!'

'O nee?' Max antwoordde met een grijns. 'Wat denk je, gaat zo'n ontkenningsfase ooit over? Of kun je er oud mee worden?'

'Je bent ongelooflijk,' zei Tabitha hoofdschuddend.

'Ach, het is een gave,' antwoordde Max met gespeelde bescheidenheid.

'Gewoon geen aandacht aan besteden.' Kneep keerde zich naar meneer Benjamin. 'Edward Kneep is de naam. Ik ben wat we de "Secondant" van de groep noemen en dus degene die de verantwoordelijkheid draagt.'

'Verantwoordelijkheid voor wát?' vroeg Max.

'Voor het redden van je leven,' beet Kneep hem toe.

'Kom nou toch! Je hebt mijn leven niet gered. Ik stond net zelf op het punt om meneer Benjamin te vragen een zak bloem te gaan halen. Je was me gewoon voor.'

'Je arrogantie is verbijsterend,' zei Kneep. 'Ik verwacht heus niet dat je je van pure dankbaarheid door het stof wentelt, maar een simpel bedankje is wel op zijn plaats.'

'Nou vooruit,' zei Max. 'Bedankt, Kneep, dat je hebt rechtgebreid wat de prinses de soep in had laten draaien.'

'Wat ík de soep in had laten draaien?' reageerde Tabitha, als door een wesp gestoken.

'Ja.' Max keerde zich naar haar toe. 'Tenslotte heb jij ervoor gezorgd dat die poort helemaal tot de vijfde ring reikte, of niet soms?'

'Ja, natuurlijk! Omdat we een Zilvertong van de Vijfde Categorie moesten Uitdrijven. Die moeten naar de vijfde ring. Daar wonen ze!'

'Ja, en weet je wie er nog meer in de vijfde ring wonen? Andere schepselen van de Vijfde Categorie, zoals die Nedervleer, die mijn hoofd als een lekker hapje beschouwde.'

'Tabitha heeft volkomen juist gehandeld,' schoot Kneep haar te hulp. 'Het *Handboek voor het Nedergindse* van het Bureau Nachtmerries is daar heel duidelijk over. Regels zijn regels!'

'Ach, je weet hoe dol ik ben op regels, Kneep,' zei Max. 'Zonder regels zou ik niets hebben om te overtreden.'

'Zo is het wel genoeg,' zei meneer Benjamin. 'Kan iemand me een goede reden noemen waarom ik níét de politie zou bellen?'

'Maar natuurlijk.' Tabitha keerde zich naar hem toe. 'Uw zoon is buitengewoon rijk bedeeld met de Gave. Zo zie je ze maar zelden. Maar als hij niet leert die onder controle te krijgen, wordt de Gave een vloek. En dat betekent voor uw hele gezin de dood!'

Hoofdstuk 3

De geur van kaneel

'Ze beweren dat ze weten wat er met Ferrie aan de hand is,' vertelde Wunibald even later in de woonkamer aan Olga, nadat de chaos was opgeruimd. 'En ik denk dat we naar ze moeten luisteren.'

'Ik ook,' viel Ferrie hem bij. Hij zat naast zijn moeder op de bank.

Olga haalde slechts haar schouders op.

'Dit is niet voor het eerst dat er hier iets dergelijks is gebeurd,' zei Tabitha. Ze zat in de gemakkelijke, gebloemde fauteuil naast de bank. 'U worstelt met vragen en u bent al heel lang op zoek naar antwoorden. Die kunnen wij u geven.'

'Reken maar.' Max liet zijn knokkels kraken, waardoor Tabitha ineenkromp. 'Om te beginnen: Alle kinderen dromen, waar of niet? Sommige dromen zijn prettig, andere zijn nachtmerries. Maar nachtmerries zitten niet alleen in je hoofd. Ze hebben een bedoeling. Een doel. Nachtmerries zijn als het ware een deur die toegang geeft tot het rijk van geesten en demonen.'

'De juiste benaming is het Nedergindse,' verbeterde Kneep hem.

'In dit rijk van geesten en demonen wonen talloze akelige wezens. En via die deur proberen ze toegang te krijgen tot onze wereld.'

'Waarom?' vroeg Ferrie.

'Omdat ze het heerlijk vinden ons het leven zuur te maken,' antwoordde Max. 'De meeste zijn ergerlijk, meer niet. Ze hangen wat rond in oude huizen, jagen oude dametjes de stuipen op het lijf, dat soort dingen.'

'Spoken!' zei Ferrie.

'Inderdaad, die zijn er ook. Daar hoef je je niet al te veel zorgen over te maken. In principe kunnen ze geen kwaad. Maar sommige wezens, Ferrie... sommige wezens zijn dodelijk! Zoals dat monster van de Vijfde Categorie dat we net op z'n donder hebben gegeven.'

'Dus volgens u weten dergelijke "wezens" zich voortdurend toegang te verschaffen tot onze wereld?' vroeg meneer Benjamin met een ongelovig gezicht.

'Inderdaad,' antwoordde Tabitha. 'Maar daar hebben ze kinderen voor nodig. Kinderen met wat wij "de Gave" noemen.'

'Je hebt of je hebt het niet. Het is iets waar je mee wordt geboren,' zei Max schouderophalend.

'De Gave wordt gevoed door de fantasie,' vervolgde Tabitha. 'Waar doorgaans weinig meer van over is tegen de tijd dat mensen volwassen zijn. En dat kleine beetje is dan ook nog danig vervormd geraakt. Hoe sterker de Gave, des te groter en machtiger de poort die kan worden gecreëerd, en des te gevaarlijker de wezens die daardoorheen weten te komen.' Ze schonk Ferrie een bemoedigende glimlach. 'Bij uw zoon... is de Gave ongewoon sterk.'

'Absoluut,' viel Kneep haar bij. 'Het is voor het eerst in ettelijke decennia dat een kind machtig genoeg is om een schepsel van de Vijfde Categorie tot onze wereld toe te laten. Ik hou hem al geruime tijd in de gaten. Al sinds het Dutjesdrama.'

'Hebt u daarvan gehoord?' vroeg Ferrie ademloos.

'Natuurlijk. Ik zou mijn werk niet goed doen als ik dat soort dingen niet bijhield. Maar pas na het recente krantenartikel besefte ik dat we snel in actie moesten komen.'

'Welk krantenartikel? Bedoelt u "Gruwelnacht bij pyjamafeest"?' vroeg Wunibald.

Kneep knikte. 'Uit dat verhaal bleek duidelijk dat uw zoon een behoorlijk indrukwekkende Nederjager had binnengelaten. Van minstens de Derde Categorie.'

'Wat is een Nederjager?' vroeg Ferrie.

'Hij lijkt een beetje op een reusachtige spin,' antwoordde Tabitha.

'Zie je nou wel!' Ferrie keerde zich triomantelijk naar zijn ouders. 'Dat zei ik toch?'

'Ik wist meteen dat we ons over uw zoon moesten ontfermen,' vervolgde Kneep. 'Om te voorkomen dat hij een gevaar zou worden voor zichzelf en anderen. Zoals u vanavond hebt kunnen zien, is het maar goed dat we in actie zijn gekomen.'

Wunibald schudde verbaasd zijn hoofd. 'Dus al die tijd dat wij dachten dat Ferrie last had van destructieve driften tijdens zijn nachtmerries, liet hij monsters onze wereld binnen en waren zíj het die de vernielingen aanrichtten?'

'Precies,' antwoordde Kneep.

'Het is bijna niet te geloven.' Wunibald keerde zich naar Olga. 'Vind je ook niet, lieverd?'

Ze haalde haar schouders op, ogenschijnlijk niet geïnteresseerd.

Max nam haar onderzoekend op. 'U hebt nog helemaal niets gezegd, mevrouw Benjamin. Mag ik u misschien iets vragen? Hebt u vandaag soms kaneelbollen gebakken?'

'Nee.'

'Kaneelkoekjes dan? Of kaneelbroodjes, kaneeltoost? Iets met kaneel erin?'

'Niet dat ik me kan herinneren.'

'Hebt u iets gegeten waar kaneel in zat? Of misschien een van uw vriendinnen?'

'Ik geloof het niet.'

'Dat dacht ik al.' Max sprong van het ene op het andere moment over de salontafel heen en greep haar bij de keel. 'Wat heb je met Ferries moeder gedaan, weerzinwekkend schepsel dat je bent?'

Meneer Benjamin keek geschokt toe terwijl Max zijn vrouw dreigde te wurgen. 'Wat moet dit in vredesnaam...' begon hij ademloos. 'Hoe durft u? Hoe durft u?'

'Laat mijn moeder los!' Ferrie greep naar de handen van Max en probeerde ze los te trekken van Olga's hals.

'Dit is je moeder niet, knul,' zei Max. 'Ruik je dat? Kaneel. Alle Imitanten ruiken ernaar.'

'Laat haar onmiddellijk los,' commandeerde Kneep. 'Er zijn heel veel mensen die naar kaneel ruiken, zónder dat ze zijn bezeten door een wezen uit het Nedergindse!'

'Misschien, maar dat is hier duidelijk wel het geval! En dat zal ik bewijzen ook!' Onder luide protesten en uitroepen van afkeuring van haar man trok Max mevrouw Benjamin van de bank.

'Dat is wel mijn vrouw die u daar aan de haren achter u aan sleept, meneer! Dat kan ik niet tolereren! Hou daar onmiddellijk mee op!'

Maar Max negeerde hem en sleepte mevrouw Benjamin naar de badkamer. Ze probeerde hem te bijten en klauwde woest naar zijn gezicht, vooral toen hij de deur van de douchecabine openrukte en haar hardhandig naar binnen duwde.

'Wat doe je nou?' schreeuwde Ferrie.

'Dat zul je wel zien.'

'Zorg dat hij mammie geen pijn doet!' riep Olga, in een

poging een beroep te doen op haar zoon. 'Je moet mammie helpen. Mammie heeft jou ook altijd in bescherming genomen!'

'Hou je mond, lelijke Imitant,' snauwde Max, en hij zette de douche aan.

Zodra het water Olga raakte, stootte ze een niet-menselijk gekrijs uit en klauwde ze als een bezetene naar de deur van de glazen douchecabine. Haar huid begon te bobbelen en zwart te worden; grote stukken lieten los, werden vloeibaar en verdwenen door het afvoerputje. Toen het voorbij was, kroop het wezen dat zich had voorgedaan als mevrouw Benjamin als een naaktslak over de vloer van de douchecabine. Een roze, deegachtig wezen, met twee grote ogen, twee uitzonderlijk lange en machtige armen, maar geen benen.

Meneer Benjamin en Ferrie keken ernaar, diep geschokt.

'Ja, kijk er maar eens goed naar! Dat is nu een Imitant. Van de Vierde Categorie,' zei Max enigszins zelfingenomen, op een toon van 'Ik heb het toch gezegd?'. 'Je kunt zien dat hij tot de Vierde Categorie behoort door het aantal vingers aan elke hand. Hoe meer vingers, hoe machtiger.'

'Dat klopt,' droeg ook Kneep zijn steentje bij. 'Een wezen van de Eerste Categorie kan bijvoorbeeld alleen een klein kind aan zich onderwerpen en imiteren. Er is een wezen van de Vijfde Categorie voor nodig om een volwassen man zoals u tot zijn prooi te maken.'

'Zijn próói...' zei meneer Benjamin met stijgende ongerustheid.

'Ja, maar maakt u zich geen zorgen.' Tabitha legde kalmerend een hand op zijn schouder. 'Een Imitant kan zijn vermomming alleen handhaven als zijn slachtoffer in de buurt is en nog lééft. Dus uw vrouw maakt het goed.

Waarschijnlijk heeft de Imitant haar uit bed gehaald toen hij tijdens een van Ferries laatste nachtmerries door de poort heeft weten te glippen. Ik vermoed dat hij haar ergens in huis heeft verstopt voordat hij haar gedaante aannam.'

'De zolder!' riep Ferrie. 'Ik hoorde gisteravond geritsel op de zolder, maar ik dacht dat het eekhoorns waren.'

Tabitha keerde zich naar Max. 'Jij gaat haar halen. Ik reken hiermee af.' Ze gebaarde naar de Imitant, die tevergeefs probeerde om met zijn lange, machtige vingers de bovenkant van de douchedeur te pakken te krijgen.

'Ik wil niet kwetsend zijn, schat, maar je bent maar een Poortjockey,' zei Max. 'Dus misschien is het verstandig als ik je een handje help.'

'De dag dat ik hulp nodig heb om met een simpele Imitant af te rekenen, is de dag dat ik jou mijn liefde verklaar.'

'Met andere woorden?'

'Met andere woorden: die dag zal nooit aanbreken.' Ze gebaarde hem te vertrekken.

Het was donker op de zolder en het rook er naar oude kranten en vochtige matrassen. Meneer Benjamin beklom als eerste de trap, gevolgd door Ferrie.

'Mam?' riep Ferrie.

'Lieverd? Ben je daar?'

Terwijl ze aan het zoeken waren, nam Kneep Max apart. 'Denk erom dat je zo'n geintje nooit meer flikt! Stel je voor dat je je had vergist! Dat het helemaal geen Imitant was?'

'Ik heb me niet vergist,' antwoordde Max.

'Nee, maar het had gekund. Dan had je die arme vrouw de stuipen op het lijf gejaagd en het hele BN had reputatieschade kunnen oplopen.'

'Dat is allemaal niet gebeurd.'

Kneep rolde met zijn ogen. 'Besluiten die invloed hebben op de operationele integriteit van het Bureau Nachtmerries zijn uitsluitend mijn domein. Ik ben het die bepaalt hoe de regels worden geïnterpreteerd. Ik ben het die de opdrachten geeft. Jij voert ze uit. Zo simpel is het. En niet anders!'

'Nee, zo simpel is het niet.' Max boog zich naar hem toe. 'Ik voelde aan mijn water dat er iets niet klopte met die vrouw, en dan moet ik op mijn gevoel kunnen afgaan. Jij begrijpt dat niet. En dat kun je ook niet begrijpen, want je hebt de Gave niet. Tenminste, niet meer.'

Kneep deinsde achteruit alsof hij een klap in zijn gezicht had gekregen.

'Sorry, Kneep,' vervolgde Max. 'Dat bedoelde ik niet kwetsend. Alleen om duidelijk te maken dat ik mijn gevoel moet kunnen volgen, om te doen wat ik denk dat goed is.'

'Dat geldt voor mij net zo,' zei Kneep. 'En als je ooit weer actie onderneemt zonder mijn goedkeuring doe ik een aanbeveling bij de Raad om je een proeftijd op te leggen.'

'O, daar twijfel ik geen moment aan.'

'Hé, kom eens hier allemaal!' riep Ferrie. 'We hebben haar gevonden. Ze zit in het ruimteschip!'

Olga Benjamin had de afgelopen twee dagen verstopt gezeten in een oude, vergeten doos waarin ooit een koelkast had gezeten en die Ferrie en zijn vader zo hadden beschilderd dat hij op een ruimteschip leek. Haar handen en voeten waren met leukoplast vastgebonden, in haar mond zat een smerige lap gepropt.

'Mijn arme lieveling...' Meneer Benjamin maakte het leukoplast los en haalde de knevel uit haar mond. 'Is alles goed met je?'

'Ik dacht dat ik dood was,' zei Olga. Ze was helemaal schor doordat ze twee dagen niet had kunnen praten. 'Er kwam een of ander griezelig wezen... een gruwelijk schepsel met afschuwelijke, lange vingers... Het heeft me ontvóérd... en in het ruimteschip gestopt...'

'We weten alles, mam,' zei Ferrie. 'Het was een weerzinwekkend monster! Maar het is nu weg... Max en Tabitha hebben ervoor gezorgd dat we er geen last meer van zullen hebben.'

'Max en wie?' kraste Olga.

'We hebben je een heleboel te vertellen.' Meneer Benjamin hielp haar overeind. 'Kom, dan zet ik een pot thee voor je. Dat is goed tegen de zenuwen.'

De thee (met een scheutje whisky) had een weldadige uitwerking op Olga's zenuwen. Terwijl ze van haar derde kop nipte, luisterde ze aandachtig naar Max, die vertelde over Poortjockeys ('Nedermagiërs', verbeterde Tabitha hem geduldig), Uitdrijvers, Zilvertongen van de Vijfde Categorie met hun dodelijke, steeds luidere gezang, de geur van kaneel, en hoe water een Imitant kon ontmaskeren.

'Maar waarom wilde hij in vredesnaam míj imiteren?' vroeg Olga.

'Een kwestie van zweet, dame,' zei Max. 'Alle Imitanten zijn gek op zweet. Sterker nog, dat hebben ze nodig om in leven te blijven. Als ze het niet van mensen weten te bemachtigen, richten ze zich op dieren, maar om het te kunnen oplikken, moeten ze zichzelf vermommen als iets met een mond. Want die hebben ze niet.'

'Eh, en wíéns zweet heeft de Imitant opgelikt?' vroeg meneer Benjamin, nogal verontrust.

'Ik denk het uwe,' zei Max grijnzend. 'Waarschijnlijk

terwijl u sliep. Een Imitant vindt niks heerlijker dan het zweet oplikken van een vent die een dutje ligt te doen.'

'Aha.' Al het bloed trok weg uit meneer Benjamins gezicht.

'En hoe moet het nu verder?' vroeg Olga.

'Dat zal ik u vertellen,' antwoordde Kneep. Zijn ogen straalden van opwinding. 'Nu nemen we uw zoon mee voor een hoorzitting bij de Hoge Raad van het Bureau Nachtmerries.'

'De wat?' vroeg meneer Benjamin.

'Het doet me genoegen dat u daar blijkbaar nog nooit van hebt gehoord,' haastte Kneep zich te verklaren. 'Want het Bureau Nachtmerries is een búítengewoon gehéíme organisatie, met de opdracht de populatie van de Nederwezens in de gaten te houden. Zoals u zich kunt voorstellen, bestaat er, gezien de enorme hoeveelheid nachtmerries over de hele wereld, een uitgebreide verzameling Nederwezens waarover verantwoording moet worden afgelegd en die onschadelijk moeten worden gemaakt.'

'Ja, dat zal allemaal wel, maar wat willen ze met Férrie?' drong meneer Benjamin aan.

Kneep leek vervuld van afschuw door het feit dat zijn antwoord blijkbaar niet volkomen duidelijk was. 'Iedereen die beschikt over het ongebruikelijke vermogen om een Nederwezen van de Vierde Categorie of hoger op te roepen, moet voor de Raad verschijnen om te worden geïdentificeerd en getest, waarna het uiteindelijk tot een beoordeling komt. Dat is verplicht. Daar zijn de regels heel duidelijk over.'

'Is dat echt waar?' Olga keerde zich naar Tabitha.

'Ik vrees van wel,' antwoordde die. 'Maar maakt u zich geen zorgen. Ik zal doen wat ik kan om Ferrie te beschermen.'

'En waar moet hij dan precies tegen worden beschermd?' Olga liet zich niet zo gemakkelijk geruststellen. 'Wat zou de Hoge Raad kunnen besluiten met hem te doen, bedoel ik?'

'Ach, dat hangt er van af.' Het was Kneep aan te zien dat hij genoot. 'Het kan zijn dat de Raad tot de conclusie komt dat uw zoon geschikt is om te worden opgeleid aan de Nachtmerrie Academie. In dat geval studeert hij over een paar jaar af, en zet hij zich, net als wij, de rest van zijn leven in om de wereld te bevrijden van de Nederwezens. Een buitengewoon eerzame carrière.'

'Ja, een droom die werkelijkheid wordt,' zei Max wrang.

'En als ze besluiten dat hij níét geschikt is voor een dergelijke opleiding?' vroeg meneer Benjamin streng.

'Tja, het is natuurlijk ondenkbaar om een kind met het vermogen om wezens van de Vijfde Categorie op te roepen, vrij te laten rondlopen. Want dat zou betekenen dat hij het ene na het andere monster naar onze wereld haalt,' antwoordde Kneep. 'Stelt u zich eens voor wat er zou zijn gebeurd als wij er niet waren geweest om de Zilvertong uit te drijven? Om nog maar te zwijgen over wat er zou kunnen gebeuren als uw zoon sterk genoeg blijkt te zijn om een Genáámde hier naar binnen te halen!' Kneep huiverde onwillekeurig bij het woord 'Genaamde', en Ferrie vroeg zich af welk schepsel zo verschrikkelijk kon zijn dat het Kneep zelfs nog banger maakte dan de angstaanjagende monsters die ze al hadden gezien. 'Nee,' vervolgde Kneep, nerveus lachend. 'Mocht de Raad tot de conclusie komen dat hij niet geschikt is voor de opleidig, dan zal Ferrie moeten worden... Gereduceerd.'

'Gereduceerd?' herhaalde Olga.

'Ja. Reductie is een proces waarbij onze topchirurgen – volkomen pijnloos en met de meest geavanceerde technieken – het creatieve gedachtegoed waarover uw zoon beschikt, Reduceren. Op die manier wordt ook zijn vermogen Gereduceerd om schepselen hoger dan, laten we zeggen, de Tweede Categorie op te roepen.'

'Aha,' zei meneer Benjamin. 'Dus als ik het goed begrijp, wordt mijn zoon geopereerd om hem onnozel te maken.'

'Nee, dat begrijpt u helemaal verkeerd, meneer,' reageerde Kneep. 'Het is absoluut niet de bedoeling dat hij onnozel wordt. Uw zoon heeft een uitzonderlijk hoog IQ. Daar zouden we gewoon een paar puntjes van afschaven.'

'U zou er een paar puntjes van afschaven?' herhaalde meneer Benjamin.

'Precies. Met zijn extreem hoge score zou hij die nauwelijks missen.'

'O.' Meneer Benjamin keerde zich naar zijn vrouw. 'Wat vind jij?'

'Dat zal ik je vertellen. Als ze proberen Ferrie mee te nemen, rukt ik ze hoogstpersoonlijk hun kop van hun romp en plant ik dahlia's in hun strot,' zei ze poeslief.

'Buitengewoon bloemrijk geformuleerd,' zei meneer Benjamin.

Ferrie sprong op. 'Mag ik soms ook iets zeggen? Het gaat tenslotte over mij.'

'Maar, jongen toch! Het bestaat niet dat je met deze mensen mee wilt,' protesteerde meneer Benjamin. 'In het gunstigste geval word je bij ons weggehaald en opgeleid tot een soort monsterjager. In het ergste geval maken ze een dombo van je.'

'Nee, we zorgen alleen dat zijn IQ niet hoger is dan het gemiddelde,' zei Kneep.

'Dat is zelfs nog erger!' snauwde meneer Benjamin. 'U krijgt hem niet.'

'Maar ik wil met ze mee!' zei Ferrie. 'Ik begrijp eindelijk waarom al die dingen me overkomen. Daar wil ik meer van weten. En ik wil hetzelfde gaan doen als zij.'

'Geen sprake van,' zei meneer Benjamin.

'Het spijt me, Ferrie, maar het ís nee en het blíjft nee,' viel Olga haar man bij.

'Het moment van weigeren is allang gepasseerd.' Kneep stond op. 'De regels zijn volkomen duidelijk. We moeten hem voor de Raad brengen, met of zonder uw toestemming. Indien nodig met geweld.'

Meneer Benjamin sprong overeind. 'Dan zal het met geweld moeten gebeuren. Als u denkt dat u sterker bent dan mijn liefde voor mijn zoon, dan zult u dat moeten bewijzen.' Hij rolde zijn mouwen op, balde zijn vuisten en hief zijn magere armen.

Mevrouw Benjamin keerde zich naar Max en Tabitha. 'Volgens mij hebt u het hart op de goede plaats,' zei ze smekend. 'U moet iets dóén!'

'Hoe afschuwelijk ik het ook vind, dame, Kneep heeft gelijk,' zei Max. 'Door Ferrie hebt u de afgelopen paar dagen in een kartonnen doos gezeten. En dan hebben we het alleen nog maar over een onnozele Imitant. Als er een ander wezen van de Vijfde Categorie doorkomt, of erger nog, een Genáámde... dan is het einde verhaal. Voor u en uw man, maar ook voor Ferrie. Als u hem wilt beschermen, moet u hem met ons mee laten gaan. Ik heb nog maar één keer eerder iemand ontmoet die zo rijk was bedeeld met de Gave.'

'En hoe is dat afgelopen?' vroeg Olga.

'Slecht,' zei Max zacht. 'Maar dat zal in dit geval niet gebeuren. Dat beloof ik u. Bij andere mensen betekent een belofte misschien niet veel, maar bij mij wel! Een heleboel zelfs!'

Olga leek niet overtuigd. 'Wunibald... wat moeten we doen?'

Meneer Benjamin dacht even na en keerde zich toen naar Max. 'Als u mijn zoon kwaad doet, als hem ook maar iets overkomt – een klein schrammetje, een geschaafde knie – zult u nergens op de wereld veilig zijn voor mijn wraak. Is dat duidelijk?'

'Volkomen,' antwoordde Max.

Ferrie was geschokt. Hij had zijn vader nog nooit zo krachtig zien optreden. Tot zijn verrassing voelde hij een blos van trots op zijn wangen.

Wunibald nam Olga's hand in de zijne. 'Lieverd, het is moeilijk om hem te laten gaan. Ik kan het me ook nauwelijks voorstellen... Maar ik denk dat het toch het beste is. Misschien wordt het tijd om hem de kans te geven te ontdekken waar zijn bestemming ligt.'

'Maar hij is nog zo kléín,' protesteerde ze.

'Ik red me heus wel, mam,' zei Ferrie. 'Je moet een beetje vertrouwen in me hebben.'

'Jou vertrouw ik ook wel, Ferrie,' antwoordde ze. 'Maar van hen ben ik niet zo zeker.' Ze gebaarde naar Max, Tabitha en Kneep.

'Ik begrijp hoe u zich voelt, dame,' zei Max. 'Ik besef dat we met ons gekibbel en geruzie misschien geen erg betrouwbare indruk maken. Als ik in uw schoenen stond, zou ik net zo reageren. Maar we gaan ervoor zorgen dat uw zoon niets overkomt. Nogmaals, dat beloof ik u.' Max schonk haar een oprechte glimlach. 'Weet u, dame, ik ben opgegroeid op een ranch, en mijn pa zei altijd: "Als de melk zuur wordt, moet je de kudde verweiden." Nou, de melk is al een tijdje zuur, en het wordt alleen maar erger. Als u van hem houdt... als u hem wilt beschermen... moet u hem laten gaan.'

Olga zocht zijn blik, om in zijn ogen te zien of hij de waarheid sprak.

'Neem hem dan maar mee,' zei ze ten slotte, en ze begon te huilen.

Hoofdstuk 4

Naar het Nedergindse

Ferrie genoot van de nachtlucht die langs zijn gezicht streek. Samen met de drie volwassenen liep hij met grote passen het huis uit. 'Ze denkt dat ik nog een baby ben.' Hij verschoof de weekendtas die over zijn schouder hing en waarin hij haastig een paar spijkerbroeken, wat van zijn favoriete shirts en zijn *Opschrijfboek met Uitvindsels* had gepropt.

'Ze is gewoon bezorgd,' zei Tabitha, en ze streek hem door zijn haar. 'Je bent tenslotte haar enige kind.'

'Ja, maar ze denkt dat ik helemaal níks kan. Ik ben niet bang. Ik ben hartstikke taai. En ik kan een heleboel.'

'Hoe kleiner de mond, hoe groter de eetlust.' Max grijnsde.

'Wat betekent dat nou weer?'

'Dat je voorzichtig moet zijn met waar je om vraagt. Je gaat straks heel wat avonturen beleven. Waarschijnlijk meer dan je lief is. Dit lijkt me een goede plek.' Max wees naar een schaduwrijke plek achter een grote struik, die vanaf de straat niet te zien was.

'Prima. Pas op! Achteruit!' Tabitha ging achter de struik staan. Daar sloot ze haar ogen, en ze strekte haar arm. Purperen vlammen begonnen knetterend over haar lichaam te dansen, de lucht kreeg een elektrische lading.

'Wat doet ze?' vroeg Ferrie.

'Ze maakt een poort waardoor we rechtstreeks bij de Hoge Raad terechtkomen,' legde Max uit. 'Dat hadden we bij jou thuis ook wel kunnen doen, maar het leek me verstandiger meteen te vertrekken, voordat je ouders misschien van gedachten veranderden. Ze zagen eruit alsof ze weer begonnen te twijfelen toen Kneep ze die enveloppen gaf, geadresseerd aan het "Bureau Nachtmerries".'

'Dat is de enige manier om in contact te blijven met hun zoon,' zei Kneep. 'Ik dacht dat het hun ongerustheid een beetje zou wegnemen.'

'Nou, míjn ongerustheid is pas weggenomen als we hier vandaan zijn. Maak je geen zorgen, knul... Een poortsprong is zo voorbij.'

'En riskant,' voegde Kneep eraan toe.

'Als je in het leven alleen maar op veilig speelt, is er weinig lol meer aan, Kneep.'

Plotseling opende zich vóór hen een ronde poort van bijna twee meter hoog, de rand bezet met paarse vlammen. Daarachter kon Ferrie een kale, rotsachtige vlakte onderscheiden. Een woeste verlatenheid met grote, merkwaardig gevormde uitstulpingen van steen, begroeid met ziekelijk ogende, blauwachtige struiken. Het zag er heel anders uit dan het deel van het Nedergindse dat hij eerder had gezien.

'Vooruit! Springen!' Max loodste Ferrie naar de openstaande poort.

Ferrie keerde zich nerveus naar hem toe. 'Maar stikt het daar niet van de –'

'Monsters?' Max grijnsde. 'Maak je geen zorgen. Het is er volmaakt veilig. Echt waar. Vooruit, zet 'm op!'

Ferrie haalde diep adem, sloot zijn ogen en sprong door de poort, het Nedergindse tegemoet.

Na een vluchtige sensatie alsof hij werd meegezogen, stond hij moederziel alleen op de rotsachtige vlakte die hij door de poort had gezien. Toen hij achteromkeek zag hij Kneep, Max en Tabitha ook tevoorschijn komen. Die laatste sloot de poort met een snel gebaar van haar hand, waarop Ferrie zich moest beheersen om het niet uit te schreeuwen. Hij voelde ineens een soort paniek opkomen: hij was gestrand in een vreemde wereld, en als een duiker met flessen zuurstof die te diep was gedoken en niet wist hoe hij terug moest, besefte Ferrie dat ook hij geen idee had hoe hij deze wereld ooit weer achter zich zou kunnen laten.

'Rustig maar, knul,' zei Max bij het zien van zijn opkomende paniek. 'Diep ademhalen en kijk dan eens om je heen. Om een indruk te krijgen waar je bent.'

Ferrie dwong zichzelf weer rustig te worden en deed toen wat Max had gezegd. Tot zijn verrassing ontdekte hij dat de rotsblokken om hem heen allemaal licht naar één kant helden, alsof ze een bepaalde richting uit wezen. Toen hij zich omdraaide om te zien waar ze naartoe wezen, ontdekte hij in de verte een reusachtige, draaiende, kronkelende zuil van rood vuur.

'Dat is de Binnencirkel.' Max kwam naast hem staan. 'Je mag ernaar kijken, maar denk erom dat je op veilige afstand blijft... Het is een afschuwelijk oord.'

'Hoe ver is het hiervandaan?' vroeg Ferrie, vervuld van ontzag.

'In kilometers? Geen idee, maar vér. Heel ver. Hier bevinden we ons op de eerste ring – de buitenste ring van het Nedergindse. Weet je, het helpt als je je het Nedergindse voorstelt als de roos in een dartboard, met daarbuiten ringen die van groot naar klein gaan. Hier op de eerste ring is het redelijk veilig. Daar kom je alleen af en toe een Gremlin of een Kobold tegen. In elk geval nooit hoger dan de

Eerste Categorie. Maar hoe dichter je bij het centrum komt, hoe gevaarlijker de wezens die er leven.'

'Hoe komt dat?' vroeg Ferrie.

'Omdat de Binnencirkel alle monsters van het Nedergindse naar zich toe trekt,' mengde Kneep zich in het gesprek. 'Ze beginnen hier op de eerste ring, nog zwak en broos – piepjonge Zilvertongen, Imitanten, Nedervleren, enzovoort – maar naarmate ze rijper worden, trekken ze naar het centrum. Dat is simpelweg hun bestemming.'

'Precies,' viel Max hem bij. 'De meeste halen de Binnencirkel niet, omdat ze onderweg sneuvelen. Maar de monsters die het wel halen... Dat zijn de ergste, knul. Ze doen er jaren over om de reis te maken, en die reis is zo zwaar en zo vol gruwelen, dat ze ofwel onderweg bezwijken of oersterk worden. Wat zie je achter deze open vlakte?'

Ferrie tuurde in de verte en zag dat het vlakke maanlandschap uiteindelijk overging in een donker woud; dicht, ondoordringbaar. 'Een woud,' zei hij dan ook. 'Althans, daar lijkt het hiervandaan op.'

Max knikte. 'Dat noemen we de tweede ring. Alles wat zich daar weet te handhaven, behoort per definitie tot de Tweede Categorie. En als je voorbij het woud kijkt, wat zie je dan?'

'Bergen,' zei Ferrie. Ze hadden de kleur van gebleekte botten en rezen als grillige, ongelijkmatige tanden op naar de hemel. 'Is dat de derde ring?'

'Ja,' antwoordde Max. 'En daar vind je dezelfde wezens, maar dan van de Derde Categorie, steeds sterker, steeds kwaadaardiger, terwijl ze op weg zijn naar de Binnencirkel. Begrijp je hoe het werkt?'

Ferrie knikte. 'En wat ligt er achter de bergen? Hoe ziet de vierde ring eruit?'

'Dat is een oceaan,' zei Max. 'Weids, koud en heel diep. Ik noem de vierde ring altijd "De Kille Diepten".'

'De Kille Diepten?' herhaalde Kneep met een lelijk gezicht. 'Dat is een belachelijke naam.'

'Wat zeg jíj dan?'

'Gewoon, de vierde ring!'

'Maar als je een bijnaam móést bedenken,' drong Max aan, 'hoe zou je hem dan noemen?'

Kneep dacht even na. '"De Vreeswekkende Oceaan",' zei hij ten slotte.

'De Vreeswekkende Oceaan?' Max lachte honend. 'Wat afschuwelijk! Daar schuilt toch geen enkele schoonheid in, geen poëzie!'

'Mag ik iets vragen?' onderbrak Ferrie het gesprek. 'Als het alleen een oceaan is, waar leven wezens zoals de Zilvertong dan wanneer ze eenmaal de Vierde Categorie hebben bereikt? Leren ze dan om ook onder water adem te halen?'

'Dat is een uitstekende vraag,' antwoordde Kneep. 'Nee, dat leren ze niet. Want "De Vreeswekkende Oceaan"'– hij keek Max uitdagend aan – 'bestaat niet alléén uit water. Er zijn ook eilanden... maar ze zijn anders dan jij gewend bent. Veel ervan zijn nog niet in kaart gebracht. Sterker nog, bijna het hele Nedergindse, op een klein deel na, is onbekend gebied.'

'Dat klopt,' vervolgde Max. 'En voorbij "De Kille Diepten"' – hij keek Kneep aan – 'ligt de vijfde ring. Je hebt er een glimp van opgevangen, door de poort in je slaapkamer.'

'Was dat waar die gele kristallen waren?' vroeg Ferrie.

Max knikte. 'Het is een gruwelijk oord. Dat was ongetwijfeld niet goed te zien, omdat we er van heel hoog op neerkeken. Maar als je daar zou zijn, zou je merken hoe benauwend en beklemmend het er is. In de vijfde ring leven de oudste en dodelijkste wezens van het Nedergindse.'

'Op de Binnencirkel na,' verbeterde Kneep hem.

'Ja, op de Binnencirkel na,' moest Max hem gelijk geven.

'Ik kan me gewoon niet voorstellen dat ik daar vlakbij een poort heb geopend,' zei Ferrie zacht, wijzend naar de tornado van rood vuur in de verte.

'Er vlakbij, maar gelukkig niet ín de Binnencirkel,' zei Kneep. 'En dat moet je ook nooit willen. Want in de Binnencirkel wonen de Genaamden.'

En weer huiverde Kneep, alleen al bij het noemen van het woord.

'Voor het geval dat je het nog niet had gemerkt, Kneep wordt altijd een beetje paniekerig als het over de Genaamden gaat,' zei Max, maar voordat Ferrie erop kon doorgaan, keerde Max zich naar Tabitha. 'Hoe zit het met die poort? Komt er nog wat van?'

'Ik sta te wachten tot jij klaar bent met je preek tegen die knul.' Ze strekte haar rechterarm, en opnieuw begonnen er paarse vlammen over haar lichaam te dansen.

'Wat doet ze nu?' vroeg Ferrie.

'Nu opent ze nog een poort, naar het Bureau Nachtmerries,' legde Max uit. 'Want je kunt alleen maar poorten openen die het Nedergindse in of uit gaan. Dus als je vlug van de ene plek op Aarde naar de andere wilt, moet je een poort openen naar het Nedergindse, en vandaar weer een poort naar de plek op Aarde waar je wilt uitkomen.'

'Dus wanneer je een poort opent naar het Nedergindse, wil je niet dieper gaan dan de eerste ring?' vroeg Ferrie. 'Waar we nu zijn? Omdat het hier het veiligst is?'

'Het joch heeft het al helemaal door,' zei Max grijnzend. Op dat moment zag Ferrie dat het korte zwaard en de lasso die aan riem van de cowboy hingen, een vage blauwe gloed begonnen te verspreiden. Max merkte het ook. Hij draaide zich vliegensvlug om en slingerde zijn lasso met het geluid van een zweepslag naar een groep kleine, spichtige wezens met grote grijze ogen en lange staarten. Angstig krijsend stoven ze uiteen en verspreidden ze zich als kakkerlakken tussen de rotsblokken.

'Gremlins.' Max rolde nonchalant zijn lasso weer op en hing die aan zijn riem. 'Ze zijn het uitschot van het Nedergindse. Ze behoren niet eens tot een bepaalde categorie, omdat ze nooit groter worden. In principe kunnen ze hier weinig kwaad, maar op Aarde doen ze niets liever dan elektriciteitskabels doorbijten. Dus daar kunnen ze grote problemen veroorzaken – auto's die niet goed functioneren, energiecentrales die komen stil te liggen, dat soort dingen.'

Plotseling ging met een zacht plofgeluidje de nieuwe poort open die Tabitha had gecreëerd. Toen Ferrie keek naar wat zich daarachter bevond, stond hij tot zijn schrik oog in oog met een leeuw. Het dier had een glorieuze, volle manenkraag, zijn tanden waren zo dik als de vinger van een volwassen man en bijna net zo lang. Toen de leeuw zijn muil opensperde en brulde, was het geluid zo oorverdovend dat het doortrilde tot in Ferries botten. Wankelend en met een kreet van schrik deinsde hij achteruit.

'Je hoeft niet bang te zijn,' zei Max lachend. 'Hij doet je niets. Stap maar door de poort. Dan zul je het zien.'

Ferrie verroerde zich niet en keek Max weifelend aan.

'Het is echt waar,' zei Max glimlachend.

Wantrouwend en op zijn hoede stapte Ferrie de poort door.

Na het inmiddels bekende gevoel te worden meegezogen, stond hij plotseling naast een rotswand. De leeuw kwam naar hem toe sjokken. Van dichtbij was hij nog veel groter, zag Ferrie tot zijn schrik. Hij zou amper maagvulling zijn.

Het beest zou hem in zijn holle kies kunnen stoppen.

Vlak voor hem bleef de leeuw staan, en hij snoof aandachtig. Ferrie verstijfde. Zijn hart sloeg bonzend in zijn borst en hij kreeg geen lucht. Toen deed de leeuw zijn muil weer open, boog zijn kop nog verder naar voren... en likte Ferries gezicht!

Die deinsde geschokt achteruit. 'Waarom doet hij dat?' wist hij ademloos uit te brengen. Achter zich hoorde hij Max lachen.

'Wat ruik je?'

Ferrie sloot zijn ogen en snoof. 'Kaneel...'

'En dat betekent?'

'Dat de leeuw een Imitant is?' Ferrie had het ineens in de gaten.

'Precies.' Max knikte. 'Hij wil je niet opeten, hij wil alleen je zweet. De echte leeuwen zitten veilig en wel in een kooi, net beneden ons.'

'Waar zijn we hier?'

'Kijk zelf maar.'

Max gebaarde Ferrie om langs de halfronde rotswand te lopen waar hij naast stond. Hij kwam enigszins aarzelend in beweging, en uiteindelijk ontmoette hij nog drie leeuwen. Een eindje verderop ontdekte hij een halfronde slotgracht, gevuld met water. Achter die gracht stond een hek en daarachter zag hij... mensen. Een heleboel mensen.

Max sloeg hem op de schouder. 'We zijn hier in het leeuwenverblijf van een dierentuin. Dit is een van de ingangen naar het Bureau Nachtmerrie.'

'Maar waaróm is die ingang uitgerekend hier?' vroeg Ferrie.

'Uit veiligheidsoverwegingen natuurlijk.' Er klonk een zweem van ongeduld in de stem van Kneep. 'Er is verder niemand die weet dat de leeuwen Imitanten van de Vijfde Categorie zijn. Dus er is ook niemand die zelfs maar in de buurt van de deur durft te komen.'

'De deur?'

'Kom maar mee.' Kneep liep zelfverzekerd naar een grot aan de andere kant van het leeuwenverblijf.

'Toe maar, knul,' zei Max met een bemoedigende knipoog. 'Zorg dat je niet achteropraakt.'

Ferrie volgde de drie volwassenen tussen de onechte leeuwen door, de grot binnen. Helemaal aan het eind daarvan, buiten het zicht van het publiek, stonden ze voor een grote metalen deur zonder deurknop of scharnieren. In het midden bevond zich een kleine, zwarte plaat.

'Akkoord, wie maakt hem open?' vroeg Max.

'Ik niet,' antwoordde Tabitha. 'Want ik vind dit altijd afschuwelijk.'

'Ik heb het de vorige keer gedaan,' haastte Kneep zich te verklaren.

'Natuurlijk! Dus kan ik het weer doen.' Max slaakte een zucht. Hij boog zich naar de kleine zwarte plaat en stak zijn tong uit, waarop er onmiddellijk twee poten van een metalen tang uit de deur kwamen, die zich om de punt van zijn tong klemden.

'Wat gebeurt er nu?' vroeg Ferrie.

'Heh hèhuh hé hè hah,' mompelde Max, in een poging antwoord te geven.

'Ze testen zijn DNA, bedoelt hij,' zei Kneep ter verduidelijking. 'De deuren van het Bureau Nachtmerries zijn uit veiligheidsoverwegingen voorzien van Salivometers. In je speeksel zit je hele genetische code, en de machine gebruikt het om mensen te identificeren.'

'*Henders, Maximus. Identiteit bevestigd,*' klonk een kalmerende computerstem. De poten van de tang lieten Max' tong los en gleden terug in hun bergplaats achter de zwarte plaat.

'Bah, ik heb daar toch zo'n hekel aan!' Max wreef over zijn kaak.

Plotseling ging de metalen deur bijna fluisterend open, en Ferrie kreeg een eerste indruk van het Bureau Nachtmerries.

Wat hij om zich heen zag, was een technologisch wonder, een reusachtige faciliteit van chroom en staal. Gigantisch, veel groter dan hij had verwacht, en bruisend van bedrijvigheid. Langs de muren van de gangen stonden computerterminals, de vele identieke deuren in de muren van de centrale ruimte waren uitgerust met Salivometers.

Grote groepen werkers bewogen zich doelbewust door de spelonkachtige ruimte. Twee mannen in paarse overalls duwden een tank op wielen voort met daarin een groot, inktvisachtig wezen, langs een vrouw in een gele overall achter een kar met een enorme schaal spaghetti met gehaktballen. Tenminste, Ferrie dácht dat het gehaktballen waren, tot ze met hun ogen knipperden. Met een schok besefte hij dat het echte ogen waren. Dat betekende dat het spul dat hij voor spaghetti had aangezien... Maar voordat hij zich er nader in kon verdiepen, was de vrouw met de gele overall al gehaast en voortvarend een van de vele gangen ingeslagen die uitkwamen in de centrale ruimte.

'Het Bureau Nachtmerries kan in eerste instantie misschien wat overweldigend zijn,' zei Max, alsof hij Ferries gedachten had gelezen. 'Maar het is gewoon een werkplek, net als elke andere. Denk erom dat je bij ons blijft en niks aanraakt. Nog even, en we zijn bij de Hoge Raad.'

Haastig liepen ze door een doolhof van gangen, langs deuren met exotisch klinkende opschriften als AFTAP-

FACILITEIT LEVENSSAPPEN GNOMEN (DERDE CATEGORIE EN LAGER) en VERWIJDERINGSKLINIEK GIFTANDEN SERPENTEN (GEEN KRAKENS!)

Gewoon een werkplek, net als elke andere, dacht Ferrie. Het duizelde hem.

Plotseling kwam er een man op een brancard hun kant uit, voortgeduwd door twee werkers in rode overalls. Het lichaam van de man was stralend wit, als marmer. Pas toen hij voorbij was, besefte Ferrie dat hij niet alleen de kleur van marmer had, maar dat hij van marmer wás. Massief en roerloos als een standbeeld.

'De stumper,' zei Tabitha.

'Tja, dat gebeurt er als je naar een Gorgo kijkt,' mompelde Max hoofdschuddend. 'Dat doet hij vast niet nog eens.'

'Kunnen ze hem helpen?' vroeg Ferrie.

'Ja, als ze de Gorgo kunnen vinden die hem in steen heeft veranderd. Maar dan moeten ze haar bovendien nog het hoofd afhakken. Dus het is gemakkelijker gezegd dan gedaan.'

Plotseling bleven ze staan bij twee grote, verchroomde deuren. Op het bord stond HOGE RAAD – ABSOLUUT GEEN TOEGANG ZONDER AUTORISATIE!

'We zijn er,' zei Max, en hij ging hun voor naar binnen.

Hoofdstuk 5

De Hoge Raad

Ferrie had nog nooit zoiets gezien.

De zetel van de Hoge Raad was de grootste en indrukwekkendste rechtszaal ter wereld. Het ranke logo van het Bureau Nachtmerries (een ineengestrengelde B en N) strekte zich uit over de hele breedte van de muur aan het eind van de zaal. Onder dat logo zaten op een podium twaalf raadsleden in identieke donkere pakken. De voorzitter zat in hun midden: een man met grijs haar, een haviksneus en ogen zo hard als staal. REGINALD DRACO – DIRECTEUR stond er op het bordje voor hem.

'Die vent in het midden... daar moeten we mee praten,' fluisterde Max, heel zachtjes om de vergadering niet te onderbreken. 'Dat is de directeur van het Bureau Nachtmerries.'

'Dus hij besluit wat er met me gaat gebeuren?' vroeg Ferrie.

'Hij besluit wat er met iederéén gebeurt.'

Voor de directeur stond een jonge man, die een gepassioneerd pleidooi hield met diverse visuele hulpmiddelen. Hij maakte een nerveuze indruk tegenover de dertien mannen die boven hen uittorenden en die grimmig op hem neerkeken.

'De Gremlinpopulatie is de laatste twee jaar met twaalf

procent toegenomen,' aldus de jongeman, gebarend naar een grafiek waarop hij de cijfers in een statistiek had weergegeven. 'We zullen drastische maatregelen moeten nemen. Ze zijn geïnfiltreerd in de energienetwerken van bijvoorbeeld een metropool als New York en diverse steden in Californië. In die mate dat we daar dit jaar onvermijdelijk een reeks aan stroomstoringen kunnen verwachten.'

'Hoe heeft dat kunnen gebeuren?' beet directeur Draco hem toe. 'Het is toch uw taak om te zorgen dat de Gremlinpopulatie binnen de perken blijft? Is het niet de bedoeling dat u daar controle op uitoefent?'

'Dat klopt,' moest de jonge man toegeven. 'Maar we zijn niet in staat geweest ze uit te drijven in hetzelfde tempo als waarmee ze de wereld binnen komen. Naarmate de menselijke populatie zich uitbreidt' – hij gebaarde naar een andere grafiek, met daarboven MENSELIJKE POPULATIE BREIDT ZICH DRAMATISCH SNEL UIT – 'zijn er steeds meer kinderen die de Gremlins, onbewust, binnenlaten tijdens hun nachtmerries. En die nachtmerries worden óók steeds frequenter, als gevolg van een gevoel van onzekerheid, onbehagen door de huidige angstige ontwikkelingen in de wereld. De energienetwerken zijn niet bestand tegen een voortdurende ondermijning. Ik heb alleen nog maar New York en Californië genoemd, maar de Gremlins zijn bezig hun invloed wereldwijd te vestigen. Een voorbeeld: onze Afdeling Londen rapporteert dat heel Piccadilly Circus regelmatig last heeft van storingen, en we krijgen soortgelijke berichten van onze collega's in Spanje, Italië en Korea. Dus de problemen breiden zich als een olievlek uit.'

'Ik hoop waarachtig niet dat u hier alleen maar bent gekomen om uw beklag te doen over uw falen,' luidde de venijnige repliek van de directeur. 'Sterker nog, ik hoop dat u ons komt vertellen dat u een plan hebt ontwikkeld.'

'Natuurlijk hebben we dat, directeur Draco,' haastte de jongeman zich hem gerust te stellen. 'Bent u zich bewust van het enorme succes dat we boeken met onze Imitanten Motels?'

'U bedoelt die lelijke nepmotels die u over het hele land hebt gebouwd?'

'Inderdaad, directeur. Elke kamer bevat een open vat met zweet, wat de Imitanten met busladingen tegelijk naar het motel lokt. Eenmaal daar is een handvol Nedermagiërs en Uitdrijvers voldoende om ze terug te sturen naar het Nedergindse.'

'Ja, dat weet ik,' snauwde Draco. 'Gaat u daar vooral mee door!'

De jongeman slikte krampachtig. 'Wat de Gremlins betreft, stellen we hetzelfde voor. Omdat ze zich voeden met elektriciteit, kunnen we ze naar een namaakenergiecentrale lokken die onder controle staat van het Bureau Nachtmerries. Eenmaal daar hoeven we ze alleen nog maar uit te drijven. Dat is veel efficiënter dan ze over de hele wereld na te jagen en te proberen onze Uitdrijvers particuliere energiecentrales binnen te smokkelen, om het probleem op kleine schaal aan te pakken.'

'Het klinkt riskant,' antwoordde Draco. 'Maar ik zal uw plan goedkeuren, vooropgesteld dat u begrijpt dat ik de volle verantwoordelijkheid bij u leg. Ik verwacht over twee maanden een persoonlijk verslag van uw vorderingen. En als de situatie tegen die tijd niet is verbeterd, verwacht ik van u dat u uw ontslag indient.'

'Dat is duidelijk, directeur,' zei de jongeman. 'Ik zal u niet teleurstellen.' Hij haastte zich naar de deur. 'Veel succes,' mompelde hij toen hij op weg naar buiten langs Ferrie kwam. 'Hoezo, met zijn verkeerde been uit bed gestapt?'

'Misschien kunnen we beter een andere keer terugkomen,' fluisterde Ferrie tegen Max. Maar voordat Max kon reageren, bulderde de stem van de directeur door de zaal.

'En wie hebben we hier?' vroeg hij, met een nadrukkelijke blik op Ferrie.

Kneep trad naar voren. 'Met uw welnemen, directeur, de naam is Edward Kneep. Het is ons gelukt de jongen hierheen te brengen. De jongen die we al een tijd op het oog hadden.'

'Aha!' zei Draco. 'Uitstekend. Kom eens hier, knaap. Hoe heet je?'

'Toe maar,' fluisterde Max. 'We staan vlak achter je.'

Met nerveus bonzend hart liep Ferrie het lange middenpad door, naar het podium waarop de Hoge Raad zat. 'Ferrie, meneer. Ferrie Benjamin.'

'Ach ja, nu weet ik het weer. Trouwens, ik wil dat je me "directeur" noemt. "Meneer" is goed voor schoolmeesters, en ik vlei me met de gedachte dat ik het verder heb geschopt dan zo'n sneue schoolmeester. Dat ben je toch zeker met me eens?'

'Ja, meneer,' zei Ferrie, heftig knikkend. 'Ik bedoel, ja, meneer de directeur,' voegde hij er haastig aan toe.

Draco bromde iets, toen keerde hij zich weer naar Kneep. 'Heb je bevestigd gekregen dat hij in sterke mate is bedeeld met de Gave?'

'Inderdaad, directeur. We waren er getuige van dat hij een Zilvertong van de Vijfde Categorie opriep.'

'Een Vijf?' Draco floot zacht. 'Dat is nogal uitzonderlijk. Zijn er meer gelegenheden bekend waarbij hij een poort heeft geopend en wezens uit het Nedergindse heeft binnengelaten?'

'Jazeker. Een dag of wat eerder een schepsel van de Vierde Categorie, een Imitant die de plaats van zijn moeder innam. Bovendien zijn we ervan overtuigd dat hij de poort had gecreëerd voor een Nederjager van de Derde Categorie, die diverse kinderen tijdens een pyjamafeestje heeft ingekapseld en in cocons aan het plafond heeft gehangen, amper een week geleden.'

'Wil je daarmee zeggen dat hij binnen een wéék van een Derde naar een Vijfde Categorie is gegaan?' vroeg Draco.

'Inderdaad,' antwoordde Kneep. 'Het klinkt bijna ongelooflijk, hè? Zijn macht groeit opmerkelijk snel. En niet alleen dat. Uit de krantenberichten blijkt dat hij na het oproepen van de Nederjager als enige van alle kinderen niet werd ingekapseld. Sterker nog, de Nederjager heeft hem volledig ongemoeid gelaten.'

'Ongelooflijk,' merkte Draco op.

'Ja, dat heb ik me ook afgevraagd!' zei Ferrie. 'Waaróm heeft dat schepsel mij met rust gelaten?'

'Omdat Nederjagers, anders dan onnozeler schepselen in het Nedergindse, zoals Gremlins en Ectoschimmen, heel slim zijn. Tenzij ze daartoe worden gedwongen, zullen ze doorgaans weigeren een veel sterkere vijand aan te vallen. En het is wel duidelijk dat jij dat bent.'

'Wauw,' zei Ferrie.

'Zeg dat wel,' antwoordde Kneep. 'En misschien wil je nu zo beleefd zijn niet uit jezelf het woord te nemen, maar alleen antwoord te geven als je iets wordt gevraagd.'

'O. Neemt u me niet kwalijk, meneer de directeur,' zei Ferrie.

Draco bromde opnieuw iets in zijn richting en keerde zich toen naar Max en Tabitha. 'En wat hebben jullie twee daar nog aan toe te voegen?'

'Nou, het kind is duidelijk rijk bedeeld met de Gave,' antwoordde Tabitha. 'Ik geloof niet dat ik ooit iemand heb ontmoet met zo veel macht.'

'Macht is niets zonder het vermogen die te controléren,' zei Draco.

'O, maar ik weet zeker dat hij geschikt is om te worden opgeleid,' antwoordde Max. 'Absoluut zeker.'

'En dat baseer je op...'

'Mijn gevoel,' zei Max. 'Dat weet ik gewoon.'

'Aha. Tja, jij hebt er misschien geen moeite mee kritieke beslissingen te nemen op basis van je gevoel, maar ik hoop dat je het mij niet kwalijk neemt als ik daar niet zo'n onvoorwaardelijk vertrouwen in heb als jij.'

'Met alle respect, directeur, wanneer hij eenmaal een jaartje op de Academie zit, zult u zien dat ik gelijk heb.'

'O, maar hij gaat niet naar de Academie,' zei Draco onverschillig.

'Wat?' Max was duidelijk geschokt.

'Hij is zonder enige opleiding al in staat wezens van de Vijfde Categorie op te roepen! Ik durf me nauwelijks voor te stellen waartoe hij in staat zou zijn als hij de kans krijgt zijn macht volledig te ontplooien! Dan gaat hij misschien zelfs zo ver een poort naar de Binnencirkel te openen. De laatste keer dat we dat hebben meegemaakt, kwam er een Genaamde door. En we zijn nog altijd niet hersteld van Parasithio's ontsnapping.'

'Maar Ferrie zou nu juist de óplossing voor dat probleem kunnen zijn,' pleitte Max. 'Een kind met zo veel macht zou, met de juiste training, in staat moeten zijn Parasithio terug te drijven naar het Nedergindse – misschien zelfs om hem te doden. Ferrie zou ons ultieme wapen kunnen zijn tegen de Nederwezens.'

'En hij zou met hetzelfde gemak hun ultieme wapen tegen óns kunnen zijn,' snauwde Draco. 'Of ben je alweer vergeten hoe Parasithio de Aarde heeft kunnen betreden?'

'Daar spreekt de angst,' zei Max. 'Als we ons bij het nemen van besluiten laten leiden door ángst, kunnen we net zo goed meteen de moed opgeven.'

'En waarom zouden we ons bij het nemen van onze beslissingen níét laten leiden door angst?' reageerde Draco verontwaardigd. 'We bestaan dankzij onze angsten. Als mensen niet bang waren, zouden ze geen last hebben van nachtmerries, en als er geen nachtmerries waren, zouden er geen poorten zijn die toegang geven tot het Nedergindse. Angst is fundamenteel voor wat we hier doen. Het is de basis waarop dit bureau is gegrondvest!' Hij schudde zijn hoofd. 'Het zou te riskant zijn deze jongen op te leiden. Hij moet worden Gereduceerd.'

'Nee!' bracht Ferrie geschokt uit.

'Maak je geen zorgen, knul,' zei Max. Toen keerde hij zich weer naar de directeur. 'Zal ik u eens wat zeggen? Arthur Schemergoed zou een kind als Ferrie nooit hebben laten Reduceren.'

'Dat is ongetwijfeld waar,' antwoordde Draco. 'En daarom heeft de Raad mij na zijn dood tot directeur gekozen. Schemergoed is altijd te zacht geweest voor mensen met de Gave, omdat hij die zelf ook bezat. En dat is zijn dood geworden.'

'Zijn dood was een ongeluk, dat weet u heel goed.'

'Natuurlijk weet ik dat,' zei Draco poeslief. 'Maar al het onderwijs dat hij had genoten, alle macht die hij bezat, weerhielden hem er niet van tijdens een nachtmerrie onbedoeld een Zuurspuwer van de Vijfde Categorie binnen te laten. Hij was al dood voordat hij wakker werd, om nog maar te zwijgen over de Uitdrijvers en Nedermagiërs die de dood vonden bij hun pogingen hem te redden.' Draco boog zich naar voren. 'Schemergoed was zo sterk, maar door de Gave vormde hij een buitengewoon reële bedreiging. Ik heb de Gave niet, en dus heb ik dat probleem ook niet.'

'De Gave is geen probléém, maar een óplossing,' zei Max. 'U mag de Gave dan niet bezitten, maar bijna alle anderen hier maken er gebruik van om het werk te doen waarvoor dit bureau in het leven is geroepen.'

'Je begrijpt me verkeerd,' zei Draco. 'Ik heb niets anders dan het grootste respect voor mijn werknemers met de Gave, maar mensen met de Gave zijn net als "goede honden" – nuttig, meestal goedaardig, maar elke "goede hond" heeft wel eens een slechte dag. Hoe sterker ze zijn, hoe meer schade ze aanrichten als ze bijten. En een jongen zoals hij' – Draco wees naar Ferrie – 'zou dódelijk kunnen zijn wanneer hij een slechte dag heeft en begint te bijten. Dat heeft Schemergoed nooit begrepen... tot het hem uiteindelijk noodlottig werd. Ik begrijp het maar al te goed, en ik zal dan ook dienovereenkomstig handelen.'

'Ik vraag u hem een káns te geven, directeur!' pleitte Max. 'Ferrie is geschikt voor de opleiding. Ik weet zeker dat hij zijn Gave onder controle kan krijgen. Geef hem een jaar de tijd op de Nachtmerrie Academie. Laat hem bewijzen wat hij kan.'

'Waarom zouden we daarmee wachten?' vroeg Draco. 'Laat hij het nú maar bewijzen. Laat hem hier en nu een poort openen, om zijn vermogen te demonstreren de Gave op commando te gebruiken. Als hij kan aantonen dat hij een ongebruikelijke mate van controle bezit over zijn vermogens, zou ik misschien bereid zijn mijn besluit opnieuw in overweging te nemen.'

Het werd stil in de zaal. Uiteindelijk was het Tabitha die de stilte verbrak.

'Directeur Draco, het duurt soms weken om – ook buitengewoon getalenteerde – kinderen te leren een poort te openen wanneer ze wakker zijn.'

'Aha,' zei Draco. 'Spreekt hier nu ook de angst? De angst

om te mislukken? Je collega gelooft daar niet in. Vraag het hem maar.'

'Ik weet zeker dat hij het kan,' zei Max.

'Wat?' Tabitha keerde zich naar hem toe. 'Ik weiger hieraan mee te werken!'

Max trok haar opzij. 'Dit is Ferries enige kans,' fluisterde hij bars. 'Je weet wat er gebeurt als hij die verknalt.'

'Maar zoiets is nog nooit vertoond,' protesteerde ze. 'En dan de drúk! Zelfs iemand die getraind is in het openen van poorten, zou het hondsmoeilijk vinden het onder deze absurde omstandigheden te moeten doen. Moet je hem nou zien. Hij is doodsbang.'

'Nou en?' drong Max aan. 'Maak gebrúík van zijn angst. Als je kunt zorgen dat hij bang genoeg wordt, krijgt hij een wakende nachtmerrie. Daarmee zou hij een poort moeten kunnen openen.'

'Maar dan zou hij er geen controle over hebben!' protesteerde Tabitha. 'Zelfs als het hem zou lukken, dan valt niet te voorspellen wat voor poort hij opent. Stel dat er weer een Nederwezen van de Vijfde Categorie door komt? Of dat het er meer dan een is?'

'Dat zien we dan wel weer,' aldus Max. 'Het enige wat jij hoeft te doen, is hem helpen een poort te openen.'

'Ik wacht,' zei directeur Draco vanaf zijn hoge zetel. 'Over drie minuten neem ik definitief een besluit over het lot van deze knaap.'

'Vooruit,' zei Max tegen Tabitha. 'Zorg dat het lukt.'

'Doe je ogen dicht,' fluisterde Tabitha even later tegen Ferrie. 'En luister heel goed naar wat ik zeg.'

'Oké.' Ferrie deed wat ze zei.

'Daar gaan we.' Haar stem klonk kalm, beheerst. Sussend. Hypnotiserend. 'Je staat boven op een hoog gebouw,

Ferrie. Het hoogste gebouw dat je ooit hebt gezien.'

Onmiddellijk vormde zich een beeld in Ferries verbeelding. Hij zag zichzelf staan op het dak van een gebouw dat zelfs nog boven de wolken uitrees. Het beeld was zo echt, zo levendig, dat hij de kille bries langs zijn gezicht voelde strijken, terwijl het gebouw onder zijn voeten misselijkmakend heen en weer zwaaide, gebeukt door de wind.

'Zie je het?' vroeg Tabitha. Ferrie knikte. 'Zo... en dan loop je nu naar de rand, om naar beneden te kijken.'

In gedachten deed Ferrie een stap naar voren en keek hij over de rand van het gebouw. Wat hij zag, was duizelingwekkend: honderden verdiepingen die zich loodrecht naar beneden stortten. Zijn maag kwam in opstand, en hij proefde een hete kopersmaak in zijn mond. Wanhopig wenste hij dat hij weer een stap naar achteren kon doen.

'Plotseling voel je een hand op je rug,' vervolgde Tabitha. Ferrie richtte zich op, verkrampte. Hij kon de hand daadwerkelijk voelen. 'Hij duwt je over de rand.'

'Wie?' vroeg Ferrie.

'Je kunt er niets tegen doen. Je valt.'

Ze had het nog niet gezegd, of in zijn verbeelding viel Ferrie over de rand.

De ramen van de wolkenkrabber raasden met verblindende snelheid langs hem heen, terwijl hij de grond steeds dichter op zich af zag komen. Hij probeerde te schreeuwen, maar zijn longen raakten bevroren door de koude lucht. Zijn hart bonsde als een drilboor in zijn borst.

'Terwijl de grond op je afkomt, kijk je naar de ramen van het gebouw. Je ziet mensen die je kent,' vervolgde Tabitha met meer intensiteit. 'Je moeder en vader staan achter een van de ramen. Ze zouden hun armen kunnen uitsteken en je in veiligheid kunnen brengen als ze dat wilden... maar ze laten je vallen.'

'Waarom?' vroeg Ferrie schor.

'Omdat het leven zonder jou gemakkelijker voor ze is.'

'Nee...'

'Achter andere ramen zie je kinderen die je nog van vroeger kent,' vervolgde Tabitha. 'Ze zouden je allemaal kunnen redden als ze dat wilden... maar ze doen het niet.'

'Waarom niet?'

'Omdat je anders bent dan zij, Ferrie, en daarom zijn ze bang voor je en hebben ze een hekel aan je. Dus laten ze je vallen.'

'Er is niemand die me wil helpen?' vroeg hij.

'Niemand,' zei Tabitha. 'Je bent helemaal alleen. De grond komt razendsnel op je af, en je weet dat je er bent geweest zodra je die raakt.'

'Doe iets! Zorg dat het ophoudt!' zei Ferrie.

'Ik kan je ook niet helpen, Ferrie. Je kunt alleen jezelf helpen.'

'Hoe?'

'Door naar een deur te zoeken. Een uitweg. Kijk eens goed! Zíé je een deur?'

'Nee!' Hij keek koortsachtig om zich heen. Nergens was een deur te bekennen, er waren alleen ramen – vaag zichtbare ramen – en er was de zekerheid van het harde plaveisel dat steeds dichter naar hem toe wervelde. Toen, plotseling... 'Ja! Ik zie er een. In de grond beneden me. Een paarse deur. Ik val ernaartoe. Ik val er récht naartoe.'

'Doe die deur dan open, Ferrie. Doe hem open en laat je erdoor vallen.'

'Ik weet niet of ik dat kan,' schreeuwde hij.

'Doe die deur open!' drong Tabitha aan. 'Doe die deur open, anders wordt het je dood!'

Vlak voordat Ferrie de grond zou raken, deed hij de deur open.

Een huivering als van een aardbeving ging door de zaal van de Hoge Raad, en met een oorverdovende dreun opende zich een reusachtige poort voor Ferrie, veel groter dan alles wat hij tot op dat moment had gezien. De poort was zo hoog als een gebouw van twee verdiepingen en sneed dwars door de ruimte boven en beneden hen. Paarse vlammen dansten langs de randen.

'O nee.' Kneep deinsde achteruit.

'O-o...' Max deed hetzelfde.

Toen hij door de poort keek, zag Ferrie een reusachtige troonzaal, uitgehouwen in glanzend zwarte obsidiaan. De zaal was wel een paar voetbalvelden groot en gevuld met honderden Nederwezens, druk in de weer met hun duistere bezigheden. Ferrie zag Zilvertongen, maar ook schepselen die hij niet herkende – Doodskaronjes en schimmige, blinde Naamlozen. Toen ze de reusachtige poort in de gaten kregen die Ferrie had geopend, staakten ze op slag hun bezigheden.

'Doe die poort dicht,' bracht directeur Draco ademloos uit. 'Doe die poort dicht, knaap. Nú!'

Maar Ferrie hoorde hem niet. Hij was verdwaald in zijn eigen hoofd en staarde vol ontzag naar het wonder dat hij tot stand had gebracht. Max kwam haastig naar hem toe en schudde hem krachtig door elkaar.

'Kom op, knul. Stop ermee,' zei hij. 'Dit is meer dan we aankunnen. Echt. Je moet ermee stoppen.'

Maar Ferrie merkte nauwelijks wat hij deed of wat hij zei. Hij voelde zich losgekoppeld, gescheiden van zijn eigen lichaam. Max en Tabitha en de zaal met de Hoge Raad leken tot een andere wereld te behoren. Een wereld die zo ver weg was dat hij haar amper kon zien. Plotseling kwamen de Nederwezens onder luid gekrijs op de geopende poort afstormen, met grijpende klauwen, hun bekken en muilen wijd opengesperd.

'Hé, jij daar!' gilde Draco naar Tabitha. 'Doe die poort dicht! Nu meteen!'

Tabitha strekte haar rechterarm en sloot haar ogen. Max nam de lasso van zijn riem en ging naast haar staan. 'Doe je best, schat,' zei hij. 'Ik zal proberen ze zo lang mogelijk op een afstand te houden.'

Paarse vlammen dansten knetterend over Tabitha's lichaam. Ze fronste haar wenkbrauwen in uiterste concentratie. Zweet parelde op haar voorhoofd, haar ademhaling ging snel, bijna grommend. Ze begon te huiveren.

'Ik kan het niet!' zei ze ten slotte, en ze deed haar ogen weer open. 'De poort is te sterk.'

'Naar achteren!' Max trok haar terug en ging voor haar staan. Zijn lasso verspreidde een vurige, staalblauwe gloed, die steeds krachtiger werd naarmate de honderden Nederwezens dichterbij kwamen.

Plotseling klonk er ergens ver weg in de troonzaal een gebrul dat door merg en been ging, net toen de eerste van de Nederwezens – een spinachtige Nederjager – op de deuropening afsprong. Het geluid was zo oorverdovend dat de echo's nog steeds door de zaal klonken, lang nadat het was verstomd. De Nederwezens verstarden, toen haastten ze zich weg van de poort en ze verdwenen in de duistere uithoeken van het paleis.

Dreunende voetstappen, als kanonschoten, kwamen dichterbij, tot eindelijk, aan het eind van de reusachtige troonzaal, een gehoornd wezen, zo groot als een huis van drie verdiepingen, verscheen. Een machtige, gespierde gedaante, met oranje ogen die gloeiden als kolen en reusachtige armen die eindigden in gekromde klauwen. Zijn huid was robijnrood, als bloed, en zijn lange, zware benen eindigden in hoeven, die vonken uit de vloer van obsidiaan sloegen.

'Barakkas,' bracht Kneep hijgend uit.

'Waarschuw alle Nedermagiërs,' zei Draco. Zijn gezicht zag spookachtig bleek. 'Zeg dat ze hierheen moeten komen, omdat een van de Genaamden uit het Nedergindse probeert te ontsnappen...'

Hoofdstuk 6

Barakkas de Bruut

Terwijl Barakkas langzaam naar Ferrie toe kwam, sloegen de vonken van zijn hoeven. 'Wie waagt het onuitgenodigd mijn paleis te betreden?' vroeg hij grommend. 'Vooruit, knaap. Zeg op! Wie ben je?'

'Ferrie,' wist die ten slotte. 'Ik ben Ferrie Benjamin.'

'Ferrie Benjamin,' herhaalde Barakkas. Zijn dreunende stem schalde door het luisterrijke paleis. Ook al was hij nog ver weg, dankzij de echo's die door de zwarte muren werden weerkaatst, leek het Ferrie alsof het reusachtige schepsel pal vóór hem stond. 'Slechts één keer eerder heeft een mens zich toegang tot de Binnencirkel verschaft.'

'Het was niet de bedoeling,' zei Ferrie.

'En toch heb je het gedaan,' antwoordde Barakkas. 'Dan moet je wel erg sterk zijn.'

'Dat zal wel,' zei Ferrie.

'En erg dápper,' vervolgde Barakkas. De reus kwam steeds dichterbij, ook al was de afstand tussen hem en Ferrie nog minstens twee voetbalvelden.

'Ik heb nooit van mezelf gedacht dat ik dapper was.'

'Wie anders dan de dapperste jongens zouden mij onder ogen durven komen? We hebben heel wat te bepraten, jij en ik.'

Terwijl Barakkas tegen Ferrie praatte, heerste er in de

zaal van de Hoge Raad bij het Bureau Nachtmerries totale verwarring. Nedermagiërs stroomden de zaal binnen en waren met stomheid geslagen bij het zien van de enorme poort en de Genaamde daarachter.

'Hou op met staren en doe die poort dicht, stelletje idioten!' gilde directeur Draco.

Eenmaal hersteld van de schok kwamen de Nedermagiërs in actie en probeerden ze de poort te laten imploderen. Er waren niet minder dan vijftien magiërs, zowel mannen als vrouwen, maar zelfs hun gezamenlijke inspanningen leken niet méér effect op de poort te hebben dan toen Tabitha het alleen had geprobeerd.

'Doorgaan!' schreeuwde Draco. 'Barakkas komt dichterbij! Blijf het proberen!'

Een vlammende paarse gloed welfde van Nedermagiër naar Nedermagiër terwijl ze uit alle macht maar zonder resultaat probeerden de deuropening te sluiten. Tabitha voegde zich bij hen, haar ogen schitterden vastberaden, maar ze besefte al spoedig dat zelfs de kracht van zestien hoogopgeleide, volwassen Nedermagiërs geen partij was voor de macht van de kleine, tengere dertienjarige die als in trance voor hen stond.

'Waar moeten we over praten?' vroeg Ferrie, terwijl Barakkas zijn trage, gestage loop vervolgde.

'Je toekomst.' De reus glimlachte, zodat Ferrie kon zien hoe vlijmscherp zijn tanden waren. Bovendien waren het er heel erg veel! 'Ik heb schitterende plannen voor jou en mij als ik eenmaal de poort door ben. Want ik heb een sterke, vindingrijke leerling nodig. Een leerling die bovendien machtig en dapper moet zijn. Kortom, iemand zoals jij! Samen zullen we totale verwoesting aanrichten onder onze kwellers.'

Terwijl Barakkas aan het woord was, kwam Max naast

Ferrie staan. 'Knul, ik weet dat je, diep vanbinnen, kunt horen wat ik zeg,' fluisterde hij in zijn oor. 'Je praat hier wel met Barakkas de Bruut. Nu lijkt hij heel kalm en redelijk, maar geloof me, zijn drift is legendarisch, en je weet nooit wat zijn plotselinge woede kan wekken. Als je gezicht hem niet aanstaat, is het met je gedaan, en zodra hij de poort door komt, volgt de dood in zijn voetstappen. Begrijp je wat ik zeg? Je moet de poort sluiten, knul. Je bent de enige die het kan.'

En inderdaad, ergens heel ver weg, in de diepste krochten van zijn hoofd, hoorde Ferrie wat Max zei. Blijkbaar wilde Max dat hij iets deed, maar Ferrie wist niet goed wat. Max zei iets over iemand met een opvliegend karakter... en een poort...

'Je moet niet naar hem luisteren, Ferrie.' Barakkas was de poort inmiddels op amper honderd meter genaderd. 'Hij is jaloers. Want hij weet dat jij veel machtiger bent dan hij, dus wil hij je voor zichzelf houden. Bovendien wil hij niet dat wij onze krachten bundelen, want dan heb je hem niet meer nodig. Dat weet hij maar al te goed. Een valse vriend, dat is hij.'

'Een valse vriend...' herhaalde Ferrie.

'Dat is niet waar, en dat weet je,' zei Max. 'Ik heb je gezegd dat ik je zou beschermen, wat er ook gebeurt, en dat zeg ik nu weer. Je kunt op me rekenen. Doe die poort dicht, knul. Vooruit. Doe het nú!'

De ene na de andere Nedermagiër zakte in elkaar van uitputting. De inspanning van hun pogingen de poort te sluiten die Ferrie had geopend, was eenvoudig te groot geweest.

'Ik ben er bijna,' zei Barakkas bemoedigend, op slechts enkele meters van de poort. 'Je moet dapper zijn, en sterk. Hou de poort nog even open.'

Barakkas bukte zich al, klaar om zijn reusachtige gedaante door de poort te werken. Hij had zijn rechterarm naar voren gestoken, de geklauwde vingers gebald tot een vuist. Een vuist zo groot als een auto! Om zijn pols zag Ferrie een enorme, glinsterend zwarte, metalen armbeschermer, met daarin gedetailleerd uitgewerkte gezichten gegraveerd – onder andere dat van Barakkas zelf.

'Luister, knul, je moet nooit denken dat dit jouw schuld is,' zei Max toen de reus zijn enorme, intimiderende vuist door de poort stak. Het onrustige, rode licht dat de gegraveerde beeltenissen op de armbeschermer uitstraalde, streek langs Ferries gezicht. 'Je bent een goed kind, Ferrie. Wat er ook gebeurt, je moet je nergens schuldig over voelen.'

Op dat moment draaide Ferrie zich om. 'Max?' zei hij, alsof hij hem voor het eerst zag. 'Wat wilde je ook alweer dat ik deed?'

'Die poort sluiten, knul,' zei Max met een geduldige glimlach.

'Oké,' zei Ferrie, en prompt viel de poort met een donderende klap dicht. Barakkas' rechterarm werd tot de elleboog afgerukt en viel met een dreun als van een sloopkogel op de grond. De vingers bewogen wild, krampachtig, de enorme polsband wierp rusteloze, donkerrode lichtflitsen de zaal in. Ergens heel ver weg kon Ferrie het woedende geschreeuw van Barakkas horen. De afstand zorgde voor krankzinnig weergalmende echo's.

Ten slotte zwegen zelfs die.

Max omhelsde Ferrie. Ondertussen kwamen de Nedermagiërs moeizaam overeind, met woedende blikken op Ferrie, alsof hij een dolle hond was die elk moment kon aanvallen. 'Ik wilde het niet!' zei hij bij het zien van de woede en de angst op hun gezichten. 'Het gebéúrde gewoon.'

'Rustig maar, knul,' troostte Max hem. 'Het is allemaal goedgekomen.'

'Het is helemáál niet goedgekomen!' tierde directeur Draco, toen hij eindelijk zijn stem had teruggevonden. 'Integendeel! Het had niet veel gescheeld of dat joch had een Genaamde toegelaten in het hart van het Bureau Nachtmerries. Dat is precies waar ik bang voor was! Hij had ons allemaal kunnen vernietigen!'

'U hebt hem zelf gevraagd een poort te openen!' zei Tabitha, overeind geholpen door Max. 'Ik had u nog zo gezegd dat hij er niet klaar voor was.'

'O, dus het is allemaal míjn schuld?' sneerde Draco. Hij keerde zich naar de Nedermagiërs. 'Neem hem onmiddellijk mee naar de Reductieruimte. Ik wil dat hij zo drastisch wordt Gereduceerd, dat hij nog geen geest van de Eerste Categorie kan oproepen. Ik wil hem zo stom als een stuk hout!'

'Max?' zei Ferrie met stijgende paniek.

'Maak je geen zorgen, knul.' Max nam de lasso van zijn riem, liet hem knallen en slingerde hem feilloos om de nek van de directeur, helemaal aan de andere kant van de zaal.

'Wat bezíélt je?' gilde Kneep, vervuld van afschuw.

'Ik laat het niet gebeuren dat die knul wordt Gereduceerd. Ik heb hem beloofd dat ik hem zou beschermen.'

'Laat me los,' bracht Draco ademloos uit. Zijn gezicht liep rood aan, vuurrood. 'Of ik zal jóú ook laten Reduceren.'

'Dat zal je nog tegenvallen.'

'Laat hem los,' smeekte Kneep. 'Hier komt alleen maar narigheid van.'

'Kom op, Draco, wat wordt het? En je moet snel beslissen, want je gezicht begint eruit te zien als een pruim,' zei Max.

Op dat moment klonk van achter uit de zaal een vrouwenstem. 'Kon je het weer niet laten, Max?'

Ferrie draaide zich om. Er was een lange, koninklijke vrouw binnengekomen. Haar helderblauwe ogen schitterden en vormden een verbijsterend contrast met haar donkere, chocoladebruine huid. Ze droeg een soepele, wijdvallende jurk van fleurige stoffen – geel als boter, oranje als de zon bij het vallen van de avond, vermengd met warme, vurige tinten rood. Haar uitstraling had iets tropisch, iets Jamaicaans, dat volledig misplaatst leek in de steriele omgeving van het Bureau Nachtmerries.

'Aha! Daar hebben we de gouverneur! Hoe gaat het met u?' vroeg Max.

'Beter dan met jou, zo te zien,' antwoordde ze. 'Je kan het ook niet laten om jezelf in de nesten te werken, hè?'

'Tja, dat is een ernstige tekortkoming van me. Ik hoop nog altijd dat ik er uiteindelijk overheen groei.'

'Blijf vooral hopen. Je optimisme is adembenemend,' zei ze glimlachend. 'Trouwens, over adembenemend gesproken, je kunt de directeur beter losmaken. Voordat hij stikt.'

'Maar –'

'Maak je geen zorgen over die knul,' viel ze hem met een nonchalant gebaar in de rede. 'Daar komen we wel uit.'

Max aarzelde nog even. Toen wipte hij met een geoefende beweging van zijn pols de lasso van de hals van de directeur. Draco ademde gulzig in, de paarsblauwe kleur begon geleidelijk te zakken.

Na een blik op de afgesneden arm van Barakkas keerde de rijzige vrouw zich naar Ferrie. 'Zo te zien heeft iemand iets gedaan wat hij beter had kunnen laten,' zei ze met een twinkeling in haar ogen. 'Ik ben gouverneur Driestenhope.'

'En ik ben...'

'Ferrie Benjamin. Ja, dat weet ik. Tenslotte volg ik je al een tijdje.'

'Weet je...' wist Draco uit te brengen toen hij eindelijk weer een beetje op adem was gekomen. 'Weet je wat dat jong heeft gedaan?'

'Natuurlijk weet ik dat,' antwoordde de gouverneur. 'Je denkt toch niet dat ik voor jou kom?' Ze vertrok haar gezicht van afschuw. 'Zodra ik de verstoring in het Nedergindse voelde, heb ik onmiddellijk een poort geopend om hierheen te komen.'

'Hij wil dat Ferrie wordt Gereduceerd, gouverneur,' zei Tabitha.

'Dat zal best. Hij is tenslotte een bureaucraat; een kampioen van de status quo, een voorvechter van al wat doorsnee is en middelmatig. Draco koestert alleen maar minachting voor iedereen die de Gave bezit, omdat hij die zélf niet heeft. Dat is helaas maar al te gebruikelijk bij dat soort mensen.'

'Bespaar me je psychologie van de koude grond, gouvernante,' zei Draco.

'Gouvernéúr!' beet ze hem toe. 'Er is een wezenlijk verschil!'

'Oei, wat zijn we vandaag weer snel op onze teentjes getrapt.'

'En dat zeg jij? Je kan het niet uitstaan om met "meneer" te worden aangesproken, omdat het je herinnert aan de tijd dat je nog voor de klas stond.'

'Zo is het genóég!' bulderde Draco, licht blozend. 'Dat joch vormt een ernstige bedreiging en dus wordt hij Gereduceerd.'

'Voorspelbaar als altijd, Reginald,' zei de gouverneur. 'Je laat geen gelegenheid voorbijgaan om alles wat je niet begrijpt, te vernietigen. Ik zou je nog eerder de *Mona Lisa* laten verbranden of de piramides van Egypte laten platwalsen dan dat ik je ook maar één vinger laat uitsteken naar het wonderbaarlijke brein van deze jongen.'

'Mijn besluit staat vast.'

'En het mijne ook,' antwoordde ze. 'Hij gaat met mij mee, om te worden opgeleid aan de Nachtmerrie Academie.'

'Ik verbied het.' Draco stond op en liep naar haar toe. 'Ga niet dwarsliggen, Driestenhope. Ik ben hoger in rang dan jij, en dat weet je.' Hij keerde zich naar de verzamelde Nedermagiërs. 'Neem hem onmiddellijk mee naar de Reductieruimte.'

De Nedermagiërs keken weifelend van de een naar de ander, niet goed wetend hoe ze moesten reageren. 'Conaer.' De gouverneur keerde zich naar een grote man met haar zo rood als een brandweerwagen. 'Wie gehoorzaam je, de nieuwe directeur... of je oude gouverneur? Je zult moeten kiezen, ben ik bang, en wel nu.'

De Nedermagiër keek van de geërgerde, driftig betogende directeur naar de kalme, evenwichtige gouverneur en terug. 'Het spijt me, directeur,' zei hij ten slotte. 'Ik weet dat ik verantwoording schuldig ben aan u... maar ik heb alles wat ik ben, te danken aan de gouverneur.'

Daarop verliet Conaer de zaal.

'Susa? Greger? Rykolt?' drong de gouverneur aan, zich van de een naar de ander kerend. Zonder een woord te zeggen verlieten de Nedermagiërs een voor een de zaal, totdat alleen Tabitha overbleef.

'U weet hoe ik erover denk, gouverneur,' zei ze.

Die keerde zich daarop naar Draco. 'Je ziet het, Reginald, je bent een generaal zonder leger. Dat is de prijs die je betaalt wanneer je angst probeert af te dwingen in plaats van respect. Directeur Schemergoed begreep dat.'

'Schemergoed is dood.'

'Inderdaad,' zei de gouverneur. 'Net als jij, ooit. Niets is voor de eeuwigheid, Reginald. Dat geldt ook voor je bewind als directeur. Uiteindelijk ben jij verdwenen en wordt deze afdeling hersteld in haar oude glorie. Ik ben vast van plan om daar getuige van te zijn.' Ze schonk hem een vernietigende blik. 'Ferrie gaat met mij mee.'

Directeur Draco was razend. De aderen op zijn voorhoofd waren opgezwollen van woede. 'Doe wat je niet laten kunt,' zei hij ten slotte. 'Maar weet wel dat de volledige verantwoordelijkheid voor de gevolgen uitsluitend en alleen bij jou ligt.'

'Ik heb me nog nooit aan mijn verantwoordelijkheden onttrokken en ze elders gedeponeerd.'

'Daar krijg je misschien nog spijt van,' zei Draco. 'Je mag dan een twijfelachtige aanspraak maken op autoriteit bij kinderen van de schoolgaande leeftijd, opgeleide en volwassen Nedermagiërs en Uitdrijvers staan onder mijn commando. Dus deze twee' – hij wees naar Max en Tabitha – 'zijn vanaf dit moment ontheven van hun actieve verplichtingen.'

'Wat?' vroeg Tabitha.

'Dat is niet eerlijk,' protesteerde Max. 'We hebben geen enkele schuld aan deze situatie. Gouverneur?'

'Van mij hoef je geen hulp te verwachten,' zei die. 'Ik ben het eens met de directeur.'

'Dat kunt u toch niet serieus menen!' riep Max ontsteld uit.

'O, dat meen ik heel serieus. Als jullie niet van je actieve verplichtingen waren ontheven, zouden jullie tenslotte niet beschikbaar zijn om les te komen geven op de Academie. Waar of niet?'

'Om les te komen geven?' riep Max uit. 'Ik ben veldwerker. Geen schoolmeester.'

'Van nu af aan wel,' zei de gouverneur. 'Jullie allebei. Trouwens, jij ook, Kneep.'

'Ik?' kreunde Kneep. 'Wat heb ík gedaan?'

'Niks,' beet de gouverneur hem toe. 'En dat is precies je probleem.' Met een nonchalant wuivend gebaar opende ze een poort. Ferrie was verbijsterd door het gemak en de snelheid waarmee ze dat deed – een enorm verschil met Tabitha, bij wie het veel tijd en inspanning kostte. 'Kom mee!' zei ze. 'Op naar de Nachtmerrie Academie.'

Enkele ogenblikken later, na een korte tussenstop in het Nedergindse, stapte het merkwaardige vijftal door weer een poort een kleine hut in de Nachtmerrie Academie binnen. De muren en de vloer waren gemaakt van oude, gladgeschaafde teakhouten planken, die dof glansden in het licht van de olielamp op een grote, verweerde kist. Naast de lamp stond een glas warme melk, binnen handbereik van de hangmat die tussen twee muren was opgehangen. De hangmat was gemaakt van oude, kleurrijke stof – voornamelijk tinten rood en geelbruin – en zwaaide zacht heen en weer in de tropische bries die door een rond raampje naar binnen woei. Ook de maan liet zich zien, zij het bescheiden.

'Dit is uw kamer, meneer Benjamin,' zei de gouverneur tegen Ferrie. 'Hier slaapt u vannacht. Morgen beginnen we met uw opleiding. De rest gaat met mij mee. We hebben heel wat te bespreken.'

Ze deed een deur open en loodste de drie volwassenen naar buiten.

'Gouverneur?' vroeg Ferrie. 'Denkt u dat ik...'

'Een nachtmerrie krijg?'

'Ja...'

Ze schonk hem een warme glimlach. 'Nee, u hebt een lange dag achter de rug. Vannacht staan er alleen maar aangename dromen op het programma en een welverdiende rust. Drink wat melk en ga naar bed, meneer Benjamin.'

Met die woorden trok ze de deur achter zich dicht.

Ferrie keek door het kleine ronde raam, in een poging een indruk te krijgen waar hij was, maar de duisternis buiten werd alleen doorbroken door een verbijsterend net van sterren, die als geslepen glas aan de nachthemel glinsterden. Het duurde niet lang of de uitputtingen van de dag daalden als een zware deken op Ferrie neer. Hij nam een slok melk, kroop in de gerieflijke, gastvrije hangmat en voelde iets wat hij nooit eerder had ervaren.

Hij had het gevoel alsof hij hier thuishoorde.

Al gauw was hij diep in slaap, gewiegd door de warme, tropische bries. In de verte meende hij golven te horen.

Elders in de Nachtmerrie Academie zaten de volwassenen bijeen. Het overleg werd gevoerd in de werkkamer van de gouverneur. Een rokerige, schemerige ruimte, met trappen en loopbruggen naar talrijke, slechts vaag zichtbare platforms en overlopen. De overeenkomst met het inwendige van een schip drong zich op, en anders dan het sobere, ordelijke Bureau Nachtmerries was de werkkamer van de gouverneur overvol en rommelig.

'Dat joch heeft zich een machtige vijand op de hals gehaald,' zei de gouverneur, nippend van een kristallen glas gevuld met een donkerrode vloeistof die bijna zwart leek. 'Barakkas zal niet gauw vergeten door wie hij zijn hand is verloren.'

'Het was zijn eigen schuld,' mompelde Max.

'Dat is waar,' viel de gouverneur hem bij. 'Maar ik weet

zeker dat hij het joch onvermoeibaar zal achtervolgen, om wraak te nemen.'

'Dan zal hij toch eerst weer een poort moeten hebben,' aldus Tabitha. 'U en Ferrie zijn de enigen die een poort naar de Binnencirkel kunnen openen, en u zult het zéker niet doen.'

'Ik niet, nee,' antwoordde de gouverneur. 'Maar dat joch... Hij is erg onvoorspelbaar.'

'Zeg dat wel,' mompelde Kneep.

'Wilde je iets zeggen, Kneep?' De gouverneur keerde zich naar hem toe. 'Voor de draad ermee!'

Kneep raapte al zijn moed bij elkaar. 'Het is verkeerd wat er is gebeurd. Het joch had moeten worden Gereduceerd. In het belang van ons allemaal.'

'Het verbaast me dat uitgerekend jij daarvoor pleit.'

'Ik ben alleen maar praktisch! U hebt gezien waartoe hij in staat is! Door hem niet te Reduceren brengen we iedereen in gevaar. Want wie zegt dat hij niet opnieuw een poort opent naar het paleis van Barakkas? Sterker nog, misschien is hij daar nu al mee bezig!'

'Dat is niet waarschijnlijk,' zei de gouverneur. 'Er zat elixer voor een Droomloze Slaap in zijn melk. Dus vannacht hoeven we niet bang te zijn dat hij een nachtmerrie krijgt.'

'Meent u dat echt? Hebt u elíxer aan hem verspild?' vroeg Kneep ongelovig. 'Het zou goedkoper zijn geweest om hem goud te laten drinken!'

'Na alles wat hij heeft doorgemaakt, verdient hij althans één rustige nacht,' antwoordde de gouverneur. Kneep snoof en wendde zich af, duidelijk niet tevreden. 'Ik ben ervan overtuigd dat hij, met de juiste oefening, zijn vermogen om poorten te openen, onder controle kan krijgen,' vervolgde de gouverneur. 'En met goede voorzorgsmaatregelen en een beetje geluk houden we Barakkas aan zijn kant van het Nedergindse, ver weg van onze jeugdige meneer Benjamin. Maar Barakkas is niet de enige bedreiging. Er is er nog een, en bovendien veel dichterbij!'

'Bedoelt u Parasithio?' vroeg Max.

De gouverneur knikte. 'Toen die smerige Genaamde erin slaagde naar de Aarde te komen, is hij prompt spoorloos verdwenen. We weten dat hij de afgelopen twintig jaar bezig is geweest een leger van Nederwezens te verzamelen, die hij naar zich toe trekt op het moment dat ze gebruikmaken van een poort. Maar we weten niet wáár hij dat doet. Het kan zijn dat hij zijn moordenaars op het joch afstuurt... en misschien komt hij wel zelf.'

'Dan zou hij toch eerst van Ferries bestaan moeten weten,' zei Max.

'O, daar weet hij van. Net als alle Genaamden moet hij hebben gevoeld dat er een bres is geslagen, zo diep in de Binnencirkel. Zelfs ik heb het gevoeld.'

'Ja, maar dat wil nog niet zeggen dat Parasithio achter Ferrie aan gaat, omdat het joch Barakkas heeft verminkt,' hield Max vol. 'Die grote jongens geven alleen om zichzelf.'

'Natuurlijk, Barakkas en Parasithio zijn allebei Genaamden, en als zodanig hebben ze weinig met elkaar op,' moest de gouverneur hem gelijk geven. 'Maar Parasithio beseft dat iemand die machtig genoeg is om Barakkas dusdanig te beschadigen, zich ook tegen hem zou kunnen keren. De situatie is simpel: Barakkas kan nog niet bij Ferrie komen, maar Parasithio wél, en hij zal doen wat in zijn vermogen ligt om het joch uit de weg te ruimen.'

De gouverneur nam nog een slok van haar bokaal, die beslagen was geraakt met condens. 'Het goede nieuws is...' vervolgde ze ten slotte '... dat Parasithio zich dan zal moeten blootgeven. En dat zou wel eens de kans kunnen zijn waarop we hebben gewacht.'

'Dus u wilt Ferrie als lokaas gebruiken?' vroeg Max met stijgende verontwaardiging.

'Nee, ik wil hem niet gebrúíken als lokaas. Hij ís lokaas, of we het leuk vinden of niet. En daar moeten we ons voordeel mee doen.'

Ze gebaarde Max te gaan zitten, wat hij met enige tegenzin deed.

'Bij deze redenering gaan we ervan uit dat Parasithio wéét wat Ferrie Barakkas heeft aangedaan,' zei Tabitha. 'Dat hij wéét hoe sterk Ferrie is en wat een enorme bedreiging hij zou kunnen vormen. De enige manier waarop hij dat zou kunnen weten, is als de Genaamden een manier hebben om onderling te communiceren. Denkt u dat ze die hebben?'

'Ik denk dat ze die hádden,' zei de gouverneur grimmig.

In de zaal van de Hoge Raad hing een roodachtige gloed, afkomstig van de armbeschermer die nog altijd om de pols van Barakkas' afgerukte arm sloot. Diverse werkers in blauwe overalls maakten aanstalten om de arm op een wachtende brancard te leggen, zodat hij voor onderzoek en analyse naar het laboratorium kon worden gebracht.

'Ik tel tot drie,' zei de ploegbaas, een grote man die nog nooit een broodje onder zijn neus had gekregen dat hij níét lekker vond. 'Een, twee... drie!' Grommend van inspanning tilden ze de arm op. Na enig gehannes slaagden ze erin hem op de brancard te tillen. 'Allemachtig!' De ploegbaas veegde het zweet van zijn voorhoofd. 'Wat is dat zwaar!'

'Het komt door die polsband,' zei een van de werklui. 'Dat ding is van massief metaal. Ik vraag me af wat voor soort.'

Hij strekte zijn hand ernaar uit.

Op slag schoot een rode flits als een bliksemschicht uit de polsband. Het licht omhulde hem en was zo fel dat alle werklui even volkomen verblind werden. Toen de vurige vlekken voor hun ogen eindelijk optrokken, zagen ze dat hun collega was verdwenen. Waar hij had gestaan, lag alleen nog een stapeltje as op de grond.

'Rennen!' riep de ploegbaas, en hij gaf zelf het goede voorbeeld.

De andere werklui volgden in paniek. Hun schaduwen vormden een schokkerige film op de muren van de zaal, verlicht door het donkerrode, pulserende licht van de polsband, stralender dan ooit. Zonder dat iemand het zag leek de gegraveerde beeltenis van Barakkas een subtiele verandering te ondergaan.

Het was alsof zich een glimlach op het gezicht aftekende.

Deel twee

DE NACHTMERRIE ACADEMIE

Hoofdstuk 7

De boten in de takken

Toen Ferrie wakker werd, keek hij recht in het gezicht van een grote vrouw met een breed, rond hoofd en ronde wangen. Sterker nog, alles aan haar was rond. Ze had haar haren opgestoken in een ronde, grijze knot. Haar buik drukte als een ronde welving tegen haar met kant afgezette jurk. Zelfs haar ellebogen en haar knieën waren rond.

'Welkom op deze nieuwe dag, slaapkop,' zei ze met een zwaar boers accent.

'Hè... wat?' Ferrie keek verdwaasd om zich heen, duidelijk nog niet helemaal wakker.

'Ik ben Huismama Roos,' zei de ronde vrouw met een glimlach. 'En ga nou niet denken dat ik elke morgen voor je klaarsta, maar omdat het je eerste dag is, dacht ik dat ik je maar een handje moest helpen om de weg te vinden en hier een beetje thuis te raken. Heb je kleren meegebracht?'

'Ja, een paar.' Ferrie wees naar zijn weekendtas. Terwijl de mist van de slaap in zijn hoofd optrok, besefte hij dat er iets niet in de haak was. Hij wist niet precies wát, maar ergens in zijn achterhoofd klonk een waarschuwingsbelletje. Voorlopig kon hij er echter niet de vinger op leggen.

'Als je verder nog iets nodig hebt... sokken, ondergoed, wat dan ook, dan kan ik dat wel voor je regelen,' zei Huismama Roos.

'Dank u wel,' en ineens wist hij preciés wat er niet in de haak was.

Kaneel!

Ze rook naar kaneel!

Het waarschuwingsbelletje in zijn hoofd veranderde in een gong, het geluid weergalmde door zijn bovenkamer.

O nee, dacht hij geschokt. Ik ben helemaal alleen. Er is niemand die me kan helpen. Wat moet ik doen?

Terwijl het wezen dat zich Huismama Roos noemde, doorbabbelde over Oriëntatie, dat over een uur begon, en uitlegde waar hij de eetzaal kon vinden, keek Ferrie om zich heen, op zoek naar iets wat hij als wapen kon gebruiken. Ten slotte viel zijn blik op een klein gietijzeren varken dat werd gebruikt als deurstop. Het zag er zwaar uit.

Het wezen dat zich Huismama Roos noemde, keerde Ferrie de rug toe, ongetwijfeld om iets te doen wat Ferrie niet mocht zien. Hij maakte van het moment gebruik om uit de hangmat te springen en op zijn tenen de kamer door te lopen naar het varken. Toen hij het oppakte, bleek het tot zijn verrassing zelfs nog zwaarder te zijn dan hij had verwacht. Ondertussen dacht hij koortsachtig na, in een wanhopige poging een plan te verzinnen.

Hij kon het wezen op het hoofd slaan en dan maken dat hij wegkwam. Maar wat zou er gebeuren als hij missloeg? Of als het wezen sterker bleek dan hij? Hij kon het natuurlijk ook meteen op een rennen zetten en proberen iemand te vinden die hem kon helpen, voordat de Imitant hem had ingehaald. Maar misschien kwam hij aan het eind van de gang wel voor een gesloten deur te staan.

'Kijk eens. Alsjeblieft.' Het wezen draaide zich weer naar hem om. Er was geen tijd meer om na te denken. Hij moest iets doen, en vlug ook! Dus hief hij het gietijzeren varken boven zijn hoofd, klaar om toe te slaan.

'O, goeie grutten!' riep het wezen dat zich Huismama Roos noemde. Het liep wankelend achteruit en verloor zijn evenwicht. Het zilveren dienblad viel met luid gekletter op de grond, geroosterde boterhammen en een pot jam vlogen door de lucht.

Terwijl Ferrie het zware gietijzeren varken fluitend liet neerdalen naar het hoofd van het wezen, registreerde zijn overspannen brein een klein, maar niet onbelangrijk detail.

Het was niet zomaar geroosterd brood wat er op de grond viel.

Het was kanéélbrood.

Op het allerlaatste moment zwenkte Ferrie naar links, net toen hij het gietijzeren varken losliet. Het was maar een subtiele afwijking van zijn oorspronkelijke koers, maar het was genoeg. De dodelijke deurstopper beukte op amper een halve meter naast het hoofd van Huismama Roos tegen de muur.

'Kind! Wat bezielt je?' riep ze, met haar handen beschermend om haar hoofd. 'Ik had wel dood kunnen zijn!'

'O, wat erg! Het spijt me zo!' Ferrie haastte zich naar haar toe om haar overeind te helpen. 'Het komt omdat ik... Nou ja, ik rook kaneel.'

'Ja, die zit in het geroosterde brood. Maar dat is nu niet meer te eten!' zei ze boos, terwijl ze een paar verdwaalde grijze pieken terugstopte in haar keurige knot. 'Als je niet van geroosterd brood houdt, had je het toch ook gewoon kunnen zeggen!'

'Dat is het niet. Ik dacht... Het komt door de kaneel. Toen ik die rook, dacht ik dat u een...'

'Je dacht dat ik een Imitant was!' Besef daagde op haar gezicht.

Ferrie knikte.

'Dat was erg slim van je.' Plotseling begon de hut te zwaaien en wild heen en weer te wiegen.

'Wat gebeurt er?' Ferrie keek nerveus om zich heen. De hut was zo dramatisch verschoven dat hij zich afvroeg of ze soms midden in een aardbeving zaten. Alleen, het vóélde niet als een aardbeving. Daarvoor was het deinen en zwaaien niet schokkerig genoeg.

'Rustig maar,' zei Huismama Roos. 'Dat is de wind.'

'De wínd? Daar begint de hele hut door te zwaaien?'

'O, goeie grutten,' zei Huismama Roos weer, nu zacht. 'Je weet niet waar we zijn, hè?'

'Nee. Toen we hier kwamen, was het al donker, en ik ben meteen gaan slapen.'

Ze begon te lachen. Een klaterende, ronde lach zoals alles aan haar rond was. 'Kom maar eens mee.' Ze liep naar de deur van de hut. 'Ik denk dat je dit wel... mooi vindt.'

Dat was veel te voorzichtig uitgedrukt.

Het was spectaculair.

De Nachtmerrie Academie was gebouwd in en rond een reusachtige banyanboom en daarmee de grootste en wijdstvertakte boomhut ter wereld. Vanaf de rand van een klif boven het strand staarde Ferrie vol ontzag naar dit door mensenhanden gemaakte wonder. Hellingbanen en loopbruggen slingerden tussen takken door die zo enorm waren, dat ze gemakkelijk zelf voor bomen konden worden aangezien. Genesteld in die takken lagen reusachtige zeilschepen, met elkaar verbonden door ingewikkeld geweven netten en bruggen. Trouwens, het waren geen complete schepen, zag Ferrie. Het waren voornamelijk grote délen van schepen: een romp van een oude schoener, een achtersteven van een piratenschip, een dek van een oude oorlogsbodem, allemaal verspreid over de sterke takken, als stukken van een puzzel die volmaakt en totaal onverwacht in elkaar bleken te passen.

Vlaggen in diverse kleuren wapperden in de bries, terwijl van ergens boven hen water naar beneden klaterde en in een soort voedertroggen spetterde die naar de verschillende hutten en kamers liepen. 'Voedertroggen' was een toepasselijke term, dacht Ferrie, want het leek wel alsof de Nachtmerrie Academie leefde. De constructie was bijna te willekeurig en te chaotisch om te zijn gemaakt door normale, logisch denkende mensen. Toch was het duidelijk een kunstmátige constructie, bestaande uit een idiote verzameling bijeengeraapte onderdelen – hier een boeg, daar een plank, daarboven een opbollend zeil. Het zag eruit als een schitterend, krankzinnig soort meccano; een onmogelijke constructie, die toch mogelijk bleek. Alles functioneerde, van de piratenmast helemaal in de top van het bouwwerk tot de jollen die aan grote touwen aan de onderkant waren opgehangen.

'Het is niet te geloven!' Ferrie genoot met grote ogen en een brede glimlach.

'Je haalt me de woorden uit de mond,' antwoordde Mama Rose. 'Ik ben hier al heel lang, maar ik vind het nog altijd adembenemend.'

Een warme, tropische bries ritselde door de bladeren van de palmbomen op het witte zandstrand voor de Academie. Het water daarachter was zo helder, dat Ferrie bijna het gevoel had alsof hij in een aquarium keek. Vissen sprongen speels door het uitgestrekte koraalrif in de diepte, de zon weerkaatste in een regenboog van kleuren op hun schubben.

'Zoiets moois heb ik nog nooit gezien,' zei Ferrie. 'Waar zijn we?'

'Veilig,' antwoordde Mama Roos. 'Meer hoef je voorlopig niet te weten. Het eiland is heel uitgestrekt, en een deel ervan bestaat uit wildernis, maar de Academie is beschermd. Hier zijn we veilig voor de monsters uit het Nedergindse.' Ze tuurde in de verte, naar het donkere oerwoud. 'Dat geldt niet voor de rest van het eiland. Dus denk erom dat je niet in je eentje op onderzoek uitgaat.'

'Nee, mevrouw. Ik bedoel, ja, mevrouw. Ik bedoel, ja, Mama Roos.'

Ze schonk hem een warme glimlach. Toen keerden ze het klif de rug toe, en ze sloegen een pad in naar een van de jollen die aan de voet van de banyanboom waren opgehangen. 'Hou je goed vast,' zei ze. 'Dan breng ik je naar Oriëntatie.'

Ze zette een hefboom om die aan de stam was bevestigd, en plotseling schoot de jol in vliegende vaart omhoog, opgetild door een tegenwicht dat Ferrie zag langsschieten, op weg naar de grond. Bladeren en takken sloegen in zijn gezicht, tot de vreemdste lift ter wereld ten slotte abrupt tot stilstand kwam.

'Hoogste verdieping, allemaal uitstappen!' zei Mama Roos.

Ferries maag kwam in opstand toen hij zag hoe hoog ze waren. Het oerwoud strekte zich diep onder hen uit. Als hij viel, zou het secondenlang duren voordat hij zelfs maar de bóvenkant van de bomen zou raken.

Hij deed zijn ogen dicht en haalde diep adem om zijn zenuwen tot rust te doen komen. Toen stapte hij op het dek van het piratenschip waar ze voor lagen. Er stonden diverse rijen versleten houten banken, waarop kinderen van ongeveer zijn leeftijd zaten. Ze zaten allemaal wat onrustig heen en weer te schuiven en voelden zich duidelijk niet op hun gemak.

'Rustig maar.' Mama Roos glimlachte. 'Zij weten ook

niet wat er gaat gebeuren. Dus je bent in goed gezelschap.' Toen draaide ze zich om.

'Gaat u weg?' vroeg Ferrie nerveus.

'Ja, natuurlijk. Je hebt me hier niet nodig. Maak je geen zorgen. Het komt allemaal goed.' En met die woorden stapte Mama Roos in een andere jol, ze zette een hefboom om en het volgende moment was ze verdwenen.

Met tegenzin ging Ferrie op een van de banken zitten.

Hij keek strak voor zich uit, zonder iemands blik te ontmoeten, in een wanhopige poging geen aandacht te trekken. Maar hoezeer hij ook zijn best deed weg te zinken in het hout van de bank, hij voelde dat er iemand naar hem keek. Hij ging ongemakkelijk verzitten, in de hoop dat degene die hem zat aan te staren – wie dat ook mocht zijn – ermee ophield. Tevergeefs. Hij voelde die blik nog steeds. Ten slotte draaide hij zich om. Op de bank naast de zijne zat een vreemde, slungelachtige jongen hem met een woeste grijns op te nemen.

Hij was groot voor zijn leeftijd, met lange, magere armen en benen, grote voortanden en een wilde bos zwart haar. Een marionet die was ontsnapt aan zijn draadjes, zo zag hij eruit. En hij bleef Ferrie maar aanstaren.

'Wat is er?' vroeg die ten slotte.

'Jij bent dat kind,' zei de vreemde jongen. 'Die freak, waar of niet?'

'Ik denk het niet.' Ferrie had er al spijt van dat hij zijn mond had opengedaan.

'Ja, dat ben je wel! Je hebt gisteravond bijna het hele Bureau Nachtmerries om zeep geholpen, heb ik gehoord.'

'Heb je dat nú al gehoord?' vroeg Ferrie ongelovig.

'Eh... ja.' De scheve glimlach werd nog breder. 'Onwijs! Echt volslagen onwijs! Totale vernietiging. Geweldig, echt geweldig. Trouwens, ik ben Theodoor. Geen Ted, Theodoor. Achternaam Dolf. Geen Dolk, maar Dolf, met een F. Ja, duidelijk?'

'Oké, duidelijk,' zei Ferrie. Theodoor stak zijn hand niet uit, dus liet Ferrie het ook achterwege. 'Ik ben Ferrie,' stelde hij zich voor. 'Ferrie Benjamin.'

'Geweldig! Ik ken hier niemand. Jij bent de eerste. Ik denk dat we beste vrienden moeten worden. Wat vind je?'

'Eh, ja, dat zal wel.' Ferrie wist niet wat hij moest zeggen. Er was nog nooit iemand zo opdringerig aardig tegen hem geweest.

'Oké,' zei Theodoor. 'Dan is dat maar vast geregeld. Dat is mooi. Wat wil je worden? Wat denk je dat je bent, Uitdrijver of Nedermagiër? Bij mij is het overduidelijk. Ik ben Uitdrijver.'

'Hoe weet je dat?' vroeg Ferrie.

'Kom op, hé! Kijk hoe ik eruitzie!' Theodoor stond op. 'Ik ben een echte kerel! Geboren om te vechten!'

Hij zag er helemaal niet uit alsof hij was geboren om te vechten, dacht Ferrie. Integendeel, hij zag eruit als een vogelverschrikker die nodig moest worden bijgevuld – broodmager, knokig, vel over been.

'Wij mannen zijn nu eenmaal de beste Uitdrijvers,' vervolgde Theodoor. 'Dat vertellen ze je liever niet. Want ze proberen de wereld PC te houden – politiek correct – maar Uitdrijvers zijn vechters, en het vechten zit ons, mannen, in het DNA – DNA is de afkorting voor desoxyribonucleïnezuur. Meisjes, chicks, zijn zachter, emotioneler. Als je een poort wil, moet je bij een meisje zijn. Als je een schepsel wil terugdrijven naar het Nedergindse, dan ben ik je man. Ik ben van de afdeling SK – Stoere Kerels!'

'Alsjebliéft zeg!' klonk een meisjesstem achter hen.

Ferrie en Theodoor draaiden zich om. Achter hen zat een knap meisje met een paardenstaart, nonchalant gekleed in een spijkerbroek met een witte bloes, versierd met roze borduursel. Ze was ongeveer van hun leeftijd en zat in een schetsboek te werken, maar op dat moment legde ze haar potlood neer en keerde ze zich naar Theodoor. 'In het *Handboek voor het Nedergindse* van het Bureau Nachtmerries staat dat er precies evenveel vrouwelijke als mannelijke Uitdrijvers zijn. En voor Nedermagiërs geldt hetzelfde.'

'Dat zijn leugens,' protesteerde Theodoor. 'Onwaarheden, overdrijvingen. Het is wat je graag wilt horen. Het spijt me, maar je hebt het mis.'

'Helemaal niet!' Ze begon boos te worden. 'Feiten zijn feiten.'

'Ook dat klopt niet. Feiten zijn geen feiten,' luidde Theodoors repliek. 'Feiten zijn vatbaar voor interpretatie en, als zodanig, inherent onbetrouwbaar. Dus dienen ze te worden gewantrouwd.'

'Heb je enig idee waar je het over hebt?' vroeg ze.

'Ik waarschuw je, juffie. Je kunt met mij beter niet in debat gaan,' daagde Theodoor haar uit. 'Ik lust je rauw. Wat heet, ik maak gehakt van je!'

'O, ik zou bijna bang voor je worden!' Ze begon te lachen.

'Wat is dat nou weer voor reactie!' reageerde Theodoor neerbuigend. 'Is dat het totaal van je linguïstisch arsenaal? Ik wed dat je niet half zo veel woorden kent als ik.'

'Is er íémand die jou áárdig vindt?'

'Natuurlijk,' snauwde Theodoor. 'Ferrie hier. Die vindt me aardig. Hij is mijn beste vriend.' Hij keerde zich naar Ferrie. 'Waar of niet?'

'Eh... Nou ja, we hebben elkaar net pas ontmoet. Volgens mij kunnen we allemáál beste vrienden zijn. Ik ben Ferrie.' Hij stak zijn hand uit naar het meisje. Ze pakte hem aan.

'Leuk je te leren kennen, Ferrie. Ik ben Violet.'

'Ik zie dat je van tekenen houdt.' Ferrie wees naar het schetsblok.

Ze knikte, waarbij haar paardenstaart speels op en neer deinde. 'Ik zit op dit moment in een drakenperiode.'

Ferrie keek wat beter naar wat ze tekende: een buitengewoon gedetailleerde schets van een draak die zijn lange staart om een schat had gewikkeld. 'Dat is geweldig!' zei hij. 'Ik wou dat ik zo kon tekenen.'

'Dat kun je leren,' antwoordde Violet. 'Een kwestie van veel oefenen. Ik heb veel studie gemaakt van de groten in het vak – Maitz, Whelan, Hickman, Targete.'

'Wie?' vroeg Theodoor.

'Kijk eens aan, we hebben eindelijk iets gevonden waar je géén verstand van hebt. Don Maitz, Michael Whelan, Stephen Hickman, J.P. Targete – dat zijn een paar van de bekendste tekenaars en illustratoren die zich met fantasy bezighouden. En daar ben ik nu eenmaal gek op.'

'Boeiend,' zei Theodoor. 'Maar het zijn wel allemaal mánnen.'

'Dus je hebt ook nog nooit gehoord van Rowena Morell, en Janny Wurts, en... Nou ja, ik zal maar ophouden. Anders weet je straks niet meer waar je het zoeken moet.'

'O, nou zou ík bijna bang worden voor jou.'

Op dat moment hoorden ze een zacht plofje.

Ze draaiden zich om. Op de achtersteven van het schip had zich een poort geopend, waardoor de gouverneur verscheen. In de stralende zon van het middaguur glansde haar tropische gewaad tegen haar prachtige donkere huid. Ze gebaarde vluchtig met haar hand, en de poort was verdwenen.

'Goedemorgen,' zei ze. 'Ik ben gouverneur Driestenhope.'

'Het is niet waar!' flapte Theodoor eruit. Stomverbaasd. 'De gouverneur is een griet!'

Zonder een woord te zeggen gebaarde de gouverneur met haar hand, en er opende zich een poort in het dek onder Theodoor, die geluidloos in het Nedergindse verdween. Nog een handgebaar en de poort sloot zich boven hem.

'Zijn er nog meer mensen die commentaar hebben?' vroeg de gouverneur.

Er werd overal krachtig nee geschud.

'Mooi. Welkom op jullie eerste dag bij de Nachtmerrie Academie. Zoals jullie zien, een heel ongebruikelijk oord, maar toch heel gepast, vind ik. Duistere, gevaarlijke zaken leert men het best in een vrolijke omgeving, en dat kun je dit eiland wel noemen. Vinden jullie ook niet?'

De studenten knikten haastig.

'Nu vragen jullie je misschien nog steeds af waarom we ervoor hebben gekozen jullie in zo'n uitzonderlijke ambiance les te geven – kapotte schepen in bomen, jollen die als lift dienen, om maar een paar van de ontelbare buitennissigheden te noemen. De rest moeten jullie nog gaan ontdekken. Onze keuze heeft twee redenen. De eerste zal ik jullie nu uitleggen. De tweede gaan jullie ontdekken wanneer je ver genoeg bent gevorderd om hem te begrijpen.' Ze begon tussen de studenten door te lopen. 'De Nachtmerrie Academie is zo'n merkwaardig en ongebruikelijk oord, omdat het met name het merkwaardige en het ongebruikelijke is dat het brein stimuleert. Er bestaat geen groter gif voor de verbeelding dan herhaling en eentonigheid. En het gaat hier vooral om de verbeelding die we willen koesteren en stimuleren. Waarom zou dat zijn?'

Het klonk niet echt als een vraag, dus was er niemand die antwoord durfde geven. Dat was maar goed ook, want ze deed het zelf al.

'Het is de verbeelding, dames en heren, die ons in staat stelt ons wérk te doen. Want het is de verbeelding die ons in staat stelt toegang te krijgen tot de Gave. Helaas zullen velen van u – minstens een derde – dat machtige vermogen verliezen tijdens uw verblijf hier. Het zal wegkwijnen en sterven; het zal verschrompelen en verwelken. Dat gebeurt bij de meeste mensen wanneer ze ouder worden, en hoe betreurenswaardig het ook is, het zal sommigen van u ook overkomen. Als dat zo is, hebt u niet langer toegang tot de Gave. Dan kunt u die niet meer gebruiken om de mensheid te beschermen tegen de wezens van het Nedergindse.'

Ze klapte in haar handen, om haar woorden extra nadruk te geven. De studenten schrokken.

'Het verlies van de Gave betekent echter niet dat u zich niet langer nuttig kunt maken voor onze zaak. U wordt omgeschoold en opgeleid tot Secondanten. In die hoedanigheid vergezelt u uw kameraden die de Gave nog wel bezitten bij hun opdrachten. Uw taak is geen gemakkelijke. U organiseert de missies en treedt op als verbindingspersoon tussen het Bureau Nachtmerries en de veldwerkers. Maar u zorgt vooral voor een derde, kalmerende stem wanneer de monsters oprukken en de Uitdrijver en de Nedermagiër van uw ploeg overweldigd zijn door hun eigen verantwoordelijkheden. Iedereen hier is belangrijk. Ieders rol is van cruciaal belang.'

Ineens besefte Ferrie dat Kneep zich had voorgesteld als Secondant. Hoewel de gouverneur de Secondanten als gelijkwaardige leden van het team leek te beschouwen, vroeg hij zich af of het een hard gelag was de Gave te bezitten en die vervolgens te verliezen. Als dat zo was, verklaarde dat in belangrijke mate Kneeps zure manier van doen en waarom hij er zo voor pleitte om veelbelovende studenten te laten Reduceren. Als Kneep zelf niet langer toegang had tot de Gave, waarom zou hij die een ander dan nog gunnen?

'U bent op dit moment wat we de A'tjes noemen,' vervolgde de gouverneur. 'Oftewel de Aankomelingen. Met het vorderen van de opleiding wordt u gepromoveerd tot C'tjes. De C van Capabel. En ten slotte, wanneer u hebt bewezen over indrukwekkende vaardigheden te beschikken, treedt u toe tot de E-klasse. De Elite. Maar voorlopig bent u nog A'tjes, en dat blijft u nog wel even.'

De gouverneur gebaarde met haar hand. Er opende zich een poort in de lucht, Theodoor viel er schreeuwend doorheen en landde met een dreun op zijn bank. De gouverneur stuurde de poort weer weg en ging door alsof er niets was gebeurd. 'Zoals u misschien weet, wordt u opgeleid tot hetzij Nedermagiër hetzij Uitdrijver, afhankelijk van het terrein waarop uw vaardigheden met de Gave liggen.'

'Zeg, dame!' riep Theodoor, duidelijk geschokt. 'Weet u wel dat u me naar het Nedergindse had gestuurd?'

'Jazeker weet ik dat.' Ze wuifde opnieuw met haar hand.

En weer opende zich onder Theodoor een poort, zodat hij voor de tweede keer krijsend in het Nedergindse verdween.

Nadat de gouverneur de poort had gesloten, vervolgde ze haar betoog. 'Vandaag gaan we bepalen op welke discipline uw opleiding zich zal richten. Sommigen van u zullen de moeilijke weg moeten afleggen om Uitdrijver te worden, anderen zullen kiezen voor het zware traject van de Nedermagie. Beide keuzes zijn gelijkwaardig qua eerzaamheid en moeilijkheidsgraad. We beginnen met u, juffrouw Lievegoed. Bent u er klaar voor?'

De reusachtige banyanboom zwaaide licht heen en weer in de wind. Ergens in het oerwoud klonk de kreet van een vogel.

Plotseling schoot Violet overeind. 'Bedoelt u mij?'

'U bent toch Violet Lievegoed?'

'Ja, gouverneur. Ik ben het gewoon niet gewend om "juffrouw Lievegoed" te worden genoemd.'

'Daar kunt u dan maar beter aan wennen,' zei de gouverneur. 'Van nu af aan spreek ik u uitsluitend nog aan met meneer en mejuffrouw. Om te beginnen omdat u dat volgens mij stiekem prachtig vindt. En bovendien omdat we hier met buitengewoon ernstige zaken bezig zijn, ook al lijkt het een gewone school. We leiden u op om een oorlog uit te vechten, dames en heren. Een oorlog waarin doden kunnen vallen. Als u oud genoeg bent om uw leven in dienst te stellen van een zaak die boven het individuele belang uitstijgt, bent u in mijn ogen ook oud genoeg om als volwassen mensen te worden behandeld. In ruil daarvoor verwacht ik dat u zich als volwassen mensen gedraagt. Dus ik herhaal de vraag: Bent u er klaar voor, juffrouw Lievegoed?'

'Ja, gouverneur,' zei ze.

'Mooi. Komt u dan maar naar voren.'

Terwijl Violet naar haar toe liep, wuifde de gouverneur met haar hand, en er verscheen een poort in de lucht. Opnieuw viel Theodoor erdoor, en opnieuw belandde hij met een kreet van pijn onzacht op zijn bank.

'Welkom terug, meneer Dolf. U bent net op tijd om te zien hoe juffrouw Lievegoed haar toekomstige pad gaat kiezen.'

'Dat deed echt zeer,' zei Theodoor.

'Ach, wat spijt me dat.' De gouverneur opende opnieuw een grote poort, vlak naast haar. Theodoor kromp onwillekeurig ineen. 'Dames en heren, wilt u juffrouw Lievegoed en mij alstublieft volgen het Nedergindse in. Op weg naar haar – en úw – bestemming.'

Enkele ogenblikken later, nadat ze door de poort waren gegaan, keek Ferrie om zich heen in een veld van geurige gele bloemen. Daarachter lag een kobaltblauw meer. Het water was glad en roerloos als een spiegel. Het meer lag verscholen in een bosrijke vallei met de frisse geur van pijnbomen en het was aan alle kanten omringd door rotsachtige hellingen die zo hoog oprezen dat hij niet kon zien wat zich daarachter bevond. Het was een lieflijke, beschutte, maar vooral verbórgen plek.

'Wauw,' mompelde hij.

'Inderdaad,' zei de gouverneur terwijl de laatste student door de poort kwam. Met een snel handgebaar liet ze de poort weer verdwijnen. 'Hoewel het grootste deel van het Nedergindse gevaarlijk en lelijk is, zijn er enclaves zoals deze die de verwachting tarten. We zijn hier in de derde ring. Een bergachtige streek, rijk aan wezens waarmee niet valt te spotten, maar deze geheime vallei – verborgen aan de oostgrens van de ring – is altijd onbewoond geweest. Er zijn hier geen wezens uit het Nedergindse. Op een na dan. En dat is meteen een heel belangrijk wezen.'

De gouverneur keerde zich naar Violet.

'Juffrouw Lievegoed, als u goed kijkt, ziet u een reeks stapstenen waarover u naar het midden van het meer kunt lopen.'

Violet ontdekte inderdaad een rij witte stenen die naar een kleine rots in het midden van het wateropvlak leidden. 'Ja, die zie ik,' zei ze dan ook.

'Mooi. Ik vraag u naar het midden van het meer te lopen en u uit te spreken. Dat doet u door hetzij "Ik ben Uitdrijver!" hetzij "Ik ben Nedermagiër!" te roepen.'

'Maar hoe weet ik wat ik moet roepen?' vroeg ze. 'Ik heb geen idee wat ik ben.'

'U moet gewoon zeggen wat u voelt,' antwoordde de

gouverneur. 'U zegt wat u denkt dat de waarheid is.'

'Oké,' zei Violet. 'En wat gebeurt er dan?'

'Dan merken we vanzelf of u het bij het rechte eind hebt,' antwoordde de gouverneur met een twinkeling in haar ogen. 'Gaat uw gang.' Ze gebaarde naar het water.

Met een nerveuze blik op de andere studenten liep Violet naar de rand van het meer. De stapstenen, die net boven het oppervlak uitstaken, waren klein en ongelijkmatig, en ze moest meer dan eens haar armen spreiden om niet haar evenwicht te verliezen, terwijl ze van de ene steen naar de andere sprong. Toen ze de witte, verweerde rots had bereikt, keek ze naar beneden, naar het donkere water, op zoek naar beweging, naar een teken van leven. Het water was echter zo glad als een spiegel en weerkaatste de steile bergwanden eromheen, waardoor het onmogelijk was in de diepte te kijken.

'Gaat uw gang, juffrouw Lievegoed!' riep de gouverneur. 'Spreek u uit!'

Ook al had Violet tegen Theodoor betoogd dat meisjes net zulke goede Uitdrijvers konden worden als jongens, in haar hart wist ze dat haar bestemming elders lag.

'Ik ben Nedermagiër!' riep ze dan ook.

Haar woorden schalden over het stille meer en werden met schokkende intensiteit door de wanden van de vallei weerkaatst. Ze schrok ervan. Het duurde echter niet lang of de echo's stierven weg, en het werd weer doodstil. Violet keek wat ongemakkelijk naar het donkere water, dat nog altijd roerloos bleef en glad als een spiegel.

'En nu?' vroeg ze.

Op dat moment sprong er een reusachtige vis in een fontein van druppels uit het water. Een winde, zo groot als een schoolbus, en anders dan met de gebruikelijke zilverkleurige schubben was zijn glinsterende vissenlijf bedekt met rode en grijze en groene stippels. Hij sprong met een boog over het rotsblok waarop Violet stond, slokte haar op met zijn brede vissenbek en dook weer in het koude water, waar hij onmiddellijk uit het zicht verdween. Het water golfde en klotste wild, de studenten keken geschokt toe.

Violet en de reusachtige winde die haar had verzwolgen, waren verdwenen!

'Wa... wat was dát?' bracht Theodoor ten slotte hijgend uit. Zijn mond hing open, als een deur met een kapot scharnier.

'Dat was de Winde van de Waarheid,' antwoordde de gouverneur.

Hoofdstuk 8

De Winde van de Waarheid

'Waar is ze?' vroeg Ferrie met stijgende paniek. 'Waar is Violet gebleven? Het heeft haar toch niet opgegeten, hè?'

Op hetzelfde moment dook de Winde weer op uit het water, vlak bij de met bloemen begroeide oever, en met een waterig, gorgelend geluid spuugde hij Violet uit. Draaiend en tuimelend als een lappenpop vloog ze door de lucht, en ten slotte landde ze in een warrige kluwen armen en benen aan de voeten van de gouverneur. De Winde gleed weer onder water, en even later was er niets meer van hem te zien.

Ferrie rende naar Violet en hielp haar overeind. 'Is alles goed met je?'

'Ik... ik weet het niet,' zei ze beverig, slijm en algen van haar gezicht vegend. Ze was doorweekt en volledig bedekt met de weerzinwekkende drab.

'Gefeliciteerd, juffrouw Lievegoed,' zei de gouverneur. 'U bent Uitdrijver.'

'Hoe weet u dat?' Violet wrong het slijm uit haar haren.

'Omdat de Winde het enige schepsel is in het Nedergindse, dat in staat is met zekerheid te bepalen of iemand al dan niet de waarheid spreekt. En zoals u net hebt gemerkt, tolereert de Winde geen enkele ónwaarheid in zijn wateren. In geval van een onwaarheid verwijdert de Winde de bron onmiddellijk.'

'Maar ik heb niet gelogen!' protesteerde Violet.

'Niet bewust,' zei de gouverneur. 'U zei dat u Nedermagiër was, en ik twijfel er niet aan of dat geloofde u oprecht. Maar de Winde heeft geconstateerd dat het niet waar is. Dus als u geen Nedermagiër bent, dan moet u Uitdrijver zijn.'

'Weet u echt zeker dat de Winde altijd gelijk heeft?' vroeg Violet. 'Want ik ben niet zo'n vechter.'

'Dat leert u nog wel,' stelde de gouverneur haar gerust. 'De Winde heeft het nog nooit bij het verkeerde eind gehad.' Ze keerde zich naar een andere leerling. 'Meneer Ramirez, zou u zo goed willen zijn naar het midden van het meer te gaan? Dan kunnen we zien wat de toekomst voor u in petto heeft.'

Alejandro Ramirez, een niet al te grote, steviggebouwde twaalfjarige, liep over de stapstenen naar de rots. 'Ik ben... Nedermagiër,' zei hij zacht, met een nerveuze blik op het stille water.

Er kwam geen reactie van de Winde.

'Heel goed gedaan, meneer Ramirez,' zei de gouverneur. 'Aangezien u niet bent opgeslokt, hebt u blijkbaar de waarheid gesproken. Ik had alleen graag gezien dat u wat meer overtuiging in uw verklaring had gelegd. Hoe dan ook, gefeliciteerd. U bent onze eerste Nedermagiër van vandaag.' Terwijl Alejandro zich terughaastte naar de groep, duidelijk dankbaar dat de Winde hem bespaard was gebleven, keerde de gouverneur zich naar de volgende student. 'Meneer Favrutti, de beurt is aan u.'

Zo ging het bijna een uur door.

Een kleine twintig kinderen spraken zich uit tegenover de Winde, en ruwweg de helft bleek gelijk te hebben. De andere helft werd onmiddellijk opgeslokt door de reusachtige vis en vervolgens weer als een afgedankte klodder kauwgom op de oever gespuugd. Ferrie was enigszins verrast te ontdekken dat Violet gelijk had gehad met haar bewering dat er net zoveel jongens als meisjes waren die voor Uitdrijver gingen leren. Hetzelfde gold bij de Nedermagiërs. Geen van beide functies leek de voorkeur te geven aan het ene geslacht boven het andere.

Ten slotte het was de beurt aan Theodoor om de confrontatie aan te gaan met de Winde. 'Ha, eindelijk!' Hij rende bijna naar de gouverneur. 'Mijn vader is ook Uitdrijver. Wist u dat?'

Ze knikte. 'Ik herinner me uw vader maar al te goed. Hij was buitengewoon intelligent en vaak bijzonder irritant. U doet me aan hem denken. Hoe gaat het met hem?'

'Goed, neem ik aan,' zei Theodoor. 'Hij is vaak weg, om ergens strijd te leveren tegen Nederwezens. Waar, dat mag hij niet zeggen. Hij doet uitsluitend SGO's. Dat betekent 'supergeheime operaties' en bij SGO's is het gebruikelijk –'

'Ik ken de gang van zaken,' viel de gouverneur hem in de rede. 'Laten we doorgaan met de procedure.'

'Graag!' zei Theodoor. 'Ik kan niet wachten tot mijn vader terugkomt van zijn SGO. Dan kan ik hem vertellen dat ik Uitdrijver word, net als hij.' Hij haastte zich over de stenen naar de rots in het midden van het meer. Eenmaal daar schraapte hij zijn keel en hij riep trots en zo hard als hij kon: 'Ik ben Uitdrijver!'

Het water bleef roerloos.

'Ziet u wel?' Theodoor keerde zich naar de kust. 'Ik zei het toch?'

Op dat moment sprong de Winde uit het water en slokte Theodoor met één hap op. Even later vloog hij door de lucht en landde hij onzacht en weinig bevallig aan de voeten van de gouverneur.

'Het spijt me, meneer Dolf,' zei ze toen Theodoor zich overeind had gewerkt, zo wankel op zijn benen als een pasgeboren reekalf. 'U bent geen Uitdrijver. De Winde heeft ons duidelijk gemaakt dat u Nedermagiër bent.'

'Mis!' Theodoor spuugde een klodder slijm uit.

'Pardon?' De gouverneur trok een wenkbrauw op.

'Ik bedoel het niet kwetsend, gouverneur, maar de Winde heeft het mis. Absoluut. Het bestaat niet dat ik Nedermagiër ben.'

'De Winde heeft het nóóit mis,' beet de gouverneur hem toe. 'Ú bent degene die het mis heeft, meneer Dolf.'

'Luistert u nu eens, ik zeg niet dat de Winde het exprés heeft verziekt. Ik zeg alleen dat hij zich heeft vergist. Iedereen maakt fouten. Het bestaat niet dat hij áltijd gelijk heeft. Het is tenslotte maar een stomme vis.'

'Als u dat zo zeker weet, mag u het met alle liefde nog een keer proberen,' zei de gouverneur.

'Absoluut.' Theodoor beende driftig terug naar het midden van het meer. Hij gooide zijn hoofd achterover en riep naar de hemel: 'Ik ben Uitdrijver!'

Binnen twintig seconden was de Winde uit het water gesprongen, had hem opgeslokt en weer op de oever gespuugd.

'Er is iets niet in orde met die Winde,' zei Theodoor. 'Misschien is hij ziek.'

'De Winde is niet ziek,' zei de gouverneur.

'Dan is hij misschien oud of moe of zoiets. Want het bestaat niet dat ik Nedermagiër ben. Dat is een OS, een onmogelijke situatie! Alle mannen in onze familie zijn Uitdrijvers!'

'Het spijt me.' De gouverneur begon zichtbaar haar geduld te verliezen. 'Ik weet dat u graag Uitdrijver had willen worden, maar u bent Nedermagiër.'

'Nee!' zei Theodoor. 'Die Winde is getikt, dat kan niet

anders. U hebt een disfunctionele Waarheidswinde.'
'Hij heeft twéé keer gesproken.'
'Dan heeft hij het twéé keer bij het verkeerde eind gehad! Misschien moeten we hem nog een kans geven, om te beseffen dat ik gelijk heb.' Met die woorden draaide hij zich om en hij rende terug naar het midden van het meer. 'Ik ben Uitdrijver!' schreeuwde hij. Zijn woorden werden weerkaatst door de wanden van de vallei.
Weer sprong de Winde uit het water en slokte hem op.
Ferrie keerde zich naar Violet. 'Hoe vaak denk je dat hij het nog gaat doen voordat hij het opgeeft?'
'Vier keer,' zei ze zonder aarzeling.
'Ik denk vijf,' antwoordde Ferrie.
Het werden er zéven! Tot ieders ongeloof.
Tot negen keer toe werd Theodoor opgeslokt door de Winde van de Waarheid, voordat hij het eindelijk opgaf, stinkend naar vis en bedekt met slijm, maar bovendien buitengewoon ontevreden.
'Stomme goudvis!' Hij schopte naar de bloemen op de oever terwijl hij voor de negende keer overeindkrabbelde.
'Meneer Dolf,' zei de gouverneur, enigszins vermoeid. 'Accepteert u nu maar gewoon dat u Nedermagiër bent. Dat is een buitengewoon eerzame roeping, niets meer of minder dan Uitdrijver. Dus ik zou er maar aan wennen.'
'Ik zal er nóóit aan wennen.' Theodoor beende woedend mopperend weg. 'Die vis is niet eerlijk! Stom beest. Waarom geven ze me niet nog één kans?'
De gouverneur keerde zich naar de andere studenten. 'Dan is hiermee Oriëntatie afgesloten,' zei ze. 'We gaan terug naar de Nachtmerrie Academie, waar u zult kennismaken met Huismama Roos en waar u uw rooster en leerplan krijgt overhandigd.'
'Gouverneur?' Ferrie stak zijn hand op. 'Ik wil niet onbe-

leefd zijn, maar ik ben nog niet aan de beurt geweest.'

'Ach, meneer Benjamin. Me dunkt dat uw avonturen van gisteravond ons al hebben laten zien wat uw pad moet zijn. Iemand die in staat is een poort naar de Binnencirkel te creëren, is duidelijk Nedermagiër. Een Uitdrijver zou iets dergelijks niet hebben gekund.'

'O,' zei Ferrie.

'Hé!' riep Alejandro Ramirez. 'Wij hebben ook allemaal die Winde onder ogen moeten zien. Waarom komt hij er zo gemakkelijk vanaf?'

'Dat zeg ik. Omdat we zijn pad al kennen,' antwoordde de gouverneur.

'Dat zal best, maar op de een of andere manier voelt het oneerlijk,' klaagde Alejandro.

'Hij heeft gelijk,' zei Ferrie, die zichzelf niet buiten de groep wilde plaatsen. 'Ik zou het ook gewoon moeten doen, net als de anderen.'

Even later stond Ferrie op de rots midden in het meer. Hij was zich bewust van een kille bries die opsteeg van het koude water, dat eruitzag alsof het heel diep was. Dat moest ook wel, anders kon zo'n reusachtig schepsel als de Winde van de Waarheid er niet wonen.

Ferrie sloot zijn ogen, haalde diep adem en riep: 'Ik ben Nedermagiër!'

Zoals verwacht liet de Winde zich niet zien. Ferrie had de waarheid gesproken. Hij slaakte een zucht van verlichting en begon terug te lopen naar de kust. 'U had gelijk,' riep hij naar de gouverneur, terwijl hij van steen naar steen sprong. 'Ik ben geen Uitdrijver.'

Hij had het nog niet gezegd, of de Winde schoot uit het water, hij nam Ferrie in zijn vissenbek en wierp hem in een stinkende, natte duisternis. Ferrie werd wild heen en weer geslingerd in de slijmerige ingewanden van het eeuwenoude schepsel terwijl het weer onder water verdween en naar de kust begon te zwemmen. Enkele ogenblikken later werd Ferrie verblind door het daglicht, toen de Winde hem uitspuugde. Hij vloog draaiend en tuimelend door de lucht en belandde uiteindelijk met een harde smak op de oever.

De andere studenten keken stomverbaasd toe.

'Is alles goed met je?' Violet kwam haastig aanrennen.

'Ja.' Ferrie krabbelde overeind. 'Ik had het alleen niet verwacht.'

'Nee, want het slaat ook nergens op!' riep Theodoor. 'Ziet u nu wel dat die Winde getikt is! Hij was het ermee eens toen Ferrie zei hij Nedermagiër is, maar toen hij zei dat hij dus geen Uitdrijver is, was dat een leugen. Daar klopt helemaal niks van. Je kunt niet allebei zijn. Én Nedermagiër én Uitdrijver.'

'Jawel, dat kan wel,' zei de gouverneur zacht. 'Tenminste, als je een zogenaamde "Dubbele-Dreiging" bent.'

De studenten keken elkaar aan.

'Wat is dat?' vroeg Violet.

'Dat is iemand die zowel kan Uitdrijven als bedreven is in Nedermagie. Zulke mensen zijn heel zeldzaam. Misschien eens in de twintig, dertig jaar wordt er zo iemand geboren.' De gouverneur keerde zich naar Ferrie. 'U zit wel vol verrassingen, meneer Benjamin.'

Ferrie was sprakeloos.

Eén per twintig, dertig jaar?

De meeste mensen zouden gevleid zijn geweest door de ontdekking dat ze zo bijzonder waren, maar in Ferries oren klonk het naar een mutant, een kalf met twee koppen of een paling met pootjes. Hij had zich altijd een buitenbeentje gevoeld. En dat gevoel werd nu alleen maar versterkt. Verdubbeld zelfs!

'Onwijs!' riep Theodoor. 'Ferrie de Dubbele-Dreiging! Ferrie de DD!'

'Ik wil niet dat je me zo noemt,' zei Ferrie zacht. Hij begon erachter te komen dat Theodoor bijna altijd enthousiast werd over de verkeerde dingen.

'Hé, gouverneur,' vervolgde Theodoor. 'Hoe zit dat met u? Bent u er ook zo een? Bent u ook een DD?'

'Zo wens ik niet genoemd te worden,' zei ze. 'In antwoord op uw vraag, ja, ik ben een Dubbele-Dreiging. Maar dat is niet half zo geweldig als het lijkt. Ik kan inderdaad zowel Uitdrijven als Nedermagie bedrijven, maar niet tegelijk. Het zijn volstrekt verschillende vaardigheden, die elk afzonderlijk zo veel concentratie en inspanning vereisen dat het onmogelijk is beide taken tegelijkertijd uit te voeren.'

'O,' zei Theodoor teleurgesteld. 'Dat is ongeveer hetzelfde als dat je een Ferrari en een Aston Martin hebt. Allebei leuk, maar je kunt er maar in een tegelijk rijden. Dus wat heeft het voor zin?'

'De zin is dat variatie het leven kruidig maakt,' zei ze. 'En ik heb mijn leven graag héél kruidig.' Daarop creëerde ze een poort terug naar het bovendek van de Nachtmerrie Academie. 'Voor vandaag zijn we klaar. U kunt gaan.'

Een paar minuten later liep Ferrie over een van de hellingbanen die zich rond de reusachtige stam slingerden naar beneden. Naast hem liep Theodoor bijna te dansen. Hij praatte onafgebroken, zo opgewonden was hij. 'Het mag dan niet altijd even núttig zijn, maar het is wel heel zéldzaam. Dat is toch geweldig! Heb je gehoord wat de gouverneur zei? Een per dertig jaar! We zijn allemaal bijzonder – amper twee procent van de mensheid krijgt de Gave – maar jij bent een mutant, makker! Mijn beste vriend is een freak!'

'Hou er nou toch eens over op!' zei Violet, die aan Ferries andere kant liep. 'Je ziet toch dat Ferrie zich ongemakkelijk voelt.'

'Nee, ik hou er niet over op, juffrouw Bemoeiziek! Voel je je niet op je gemak, Ferrie? Bezorg ik je een onbehaaglijk gevoel?'

'Nee, ik geloof het niet,' zei Ferrie, duidelijk érg slecht op zijn gemak.

'Zie je nou wel!' kraaide Thedore triomfantelijk. 'Wij, mannen, wij zijn niet zo huilerig en emotioneel als jullie!'

Violet keerde zich naar Ferrie. 'Dus je bent niet van plan te zeggen hoe je je voelt?'

Ferrie wílde wel iets zeggen. Hij zou Theodoor willen vertellen dat hij zich al zijn hele leven een buitenbeentje had gevoeld, maar dat hij hier, omringd door kinderen die net zo waren als hij, niet wilde horen dat hij anders was. Sterker nog, dat was wel het laatste wat hij wilde horen. Toch kon hij zich er niet toe brengen het te zeggen. Theodoor mocht dan een rare snijboon zijn, hij was een echte vriend geworden, en die vriendschap wilde Ferrie voor geen goud op het spel zetten.

'Ik voel me prima,' zei hij dan ook tegen Violet. 'Echt waar.'

'Sukkel! Nou, als je niet voor jezelf opkomt, dan doe ík het al helemaal niet.' Ze werkte zich langs hen heen en zette koers naar beneden.

'Ik kom heus wel voor mezelf op,' riep Ferrie haar achterna. Hij voelde zich lamlendig.

'Daar heb je hem!' klonk plotseling een luide, boze stem achter hen. 'Daar heb je die gek die bijna het hele Bureau Nachtmerries om zeep had geholpen!'

Hoofdstuk 9

Het belang van het P.V.D.D.

Toen Ferrie en Theodoor zich omdraaiden, zagen ze een lang meisje van een jaar of vijftien de hellingbaan af komen. Ze was adembenemend mooi. Haar blonde haar hing tot over haar schouders en verried zorgvuldige styling. Trouwens, uit haar hele verschijning sprak uiterste zorg, van haar nauwgezette make-up tot haar met aandacht gekozen kleding. Ferrie had op de hele Nachtmerrie Academie nog niemand gezien die er zo modieus uitzag.

Achter haar liep, als een gretige, aangelijnde hond, een knappe jongen van ongeveer haar leeftijd. Hij was breedgeschouderd, gespierd, met blond haar en blauwe ogen. Zijn enige onvolkomenheid, voor zover Ferrie kon zien, was zijn snor. Of liever gezegd, het zo goed als ontbreken daarvan, hoewel hij duidelijk pogingen in die richting deed.

'Jij bent toch die Ferrie Benjamin?' vroeg het meisje.

'Dat zal wel,' antwoordde Ferrie.

Hij was ten prooi aan tegenstrijdige emoties. Het was duidelijk dat ze zich warmliep om hem aan te vallen, dus hij besefte dat hij op zijn hoede moest zijn. Maar ze was zo knap, dat het hem duizelde. Hij had nog nooit een vriendinnetje gehad, was nog nooit met een meisje uit geweest, had zelfs nog nooit de hánd van een meisje vastgehouden, en nu kreeg hij ineens de onverdeelde aandacht van een van de mooiste meisjes die hij ooit had gezien.

Jammer genoeg alleen omdat ze een hekel aan hem had.

'Ik ben Birgit Brongers,' zei ze op een toon alsof ze verwachtte dat hij dat wist, 'en ik ben Secondant. Dit is mijn vriend, George Lenx.' Ze wierp hem een vluchtige blik toe over haar schouder. 'Hij is ook Secondant.'

George boog zich naar Ferrie, waarbij hij over zijn embryonale snor streek, alsof hij daardoor ouder zou lijken dan hij was. Tevergeefs. 'Zo, dus jij bent die stomme A die gisteravond bijna een Genaamde de zaal van de Hoge Raad had laten binnen komen.'

'Het was niet de bedoeling,' protesteerde Ferrie zwakjes.

'Niet de bedóéling?' Birgit zette nog een stap in zijn richting. 'Heb je dat ook tegen Draco gezegd? Nadat je bijna iedereen om zeep had geholpen? Dat het niet je bedóéling was?'

Er kwam een duidelijke winnaar naar voren in de emotionele strijd die in Ferries hart woedde. Birgit mocht dan knap zijn – sterker nog, ze was beeldschoon – maar haar aantrekkingskracht werd in snel tempo tenietgedaan door zijn boosheid over de manier waarop ze hem behandelde.

'Als ík je Secondant was, zou ik ervoor zorgen dat je op een proeftijd werd gezet, hangende een onderzoek in het kader van Artikel 36 van de Reglementen van het Bureau Nachtmerries, editie Draco. Sterker nog, ik zou ervoor zorgen dat je werd Gereduceerd! Nou? Wat heb je daarop te zeggen?'

'Dat je het, volgens mij, gewoon niet kan uitstaan dat ik de Gave nog heb en dat jij hem bent kwijtgeraakt.' Ferrie was geschokt door de wreedheid waarmee ze hem aanviel. 'Want dat is toch de reden dat je Secondant bent, of niet soms?'

Ferrie hoorde dat de studenten die op de hellingbaan om hen heen stonden, hun adem inhielden, terwijl ze nerveus hun blik afwendden. Blijkbaar had hij een bepaalde grens overschreden.

'Wát zei je daar?' vroeg Birgit, heel zacht, bijna fluisterend.

'Ik vraag me alleen af waaróm je hem bent kwijtgeraakt.' Ferrie zette zich inwendig schrap. 'De Gave, bedoel ik. Het was waarschijnlijk niet jouw schuld. Raakte je te veel geïnteresseerd in kleren? Of in de tv? Of in jóngens?'

Plotseling greep George hem bij de voorkant van zijn shirt en trok hem zo dicht naar zich toe dat Ferrie zijn pepermuntkauwgom kon ruiken. 'Pas op wat je zegt, miezerige, mislukte A, of ik gooi je van het hoogste punt van de Academie, om te zien of je kunt vliegen. Begrepen?'

Voordat Ferrie kon antwoorden, zette Theodoor zijn bril af. 'Hou vast,' zei hij.

'Waarom?' Ferrie pakte de bril aan.

Zonder antwoord te geven, draaide Theodoor zich om en haalde woest uit naar de verraste George. Hij plantte zijn vuist voluit op de zijkant van het gebronsde gezicht van zijn tegenstander, die door zijn knieën zakte en op de harde, houten hellingbaan belandde. De kauwgom vloog uit zijn mond, als een losgeslagen tand.

'Dat is niet eerlijk!' riep Birgit. 'Die stoot, dat was een vuile streek! Je speelt vals!'

De adrenaline pompte nu op volle kracht door Theodoors aderen. Zijn rusteloze vogelverschrikkersgezicht bloosde van opwinding. 'Ja, en dat blijf ik doen als jij Ferrie Benjamin niet met rust laat! Dan maak ik jullie helemaal kapot. Jullie allebei! Ik ruk je het hart uit je lijf, ik zuig het merg uit je botten, ik –'

Maar voordat hij een volgend, zinloos dreigement kon

uiten, stortte George zich op hem en dreef hem achteruit tot hij met zijn rug tegen de stam van de reusachtige banyanboom stond. Theodoor had dan wel de eerste klap uitgedeeld, George was een kop groter en twee keer zo zwaar – en die extra kilo's waren puur spieren. Hij begon Theodoor meedogenloos en gestaag met zijn vuisten te bewerken en deelde de ene na de andere vernietigende stoot uit.

'Hou op!' riep Ferrie. 'Je doet hem pijn! Dat doet echt zeer!'

'Hou je mond, zielige A,' beet George hem toe. 'Hierna ben jij aan de beurt.'

'GEORGE LENX, HOU DAAR ONMIDDELLIJK MEE OP!' bulderde een stem van het eind van de hellingbaan.

Ferrie draaide zich om en zag tot zijn schrik en verbijstering dat het Mama Roos was. Ze kwam als een sloopkogel op hen afstormen. Studenten die niet snel genoeg opzijgingen, werden omver gegooid als kegels op een kegelbaan.

'Híj is begonnen!' probeerde George zich te verdedigen, terwijl hij achteruitdeinsde. 'Hij heeft de eerste klap uitgedeeld.'

'Dat mag dan zo zijn, maar ik heb alles gezien. Jij hebt hém bij zijn shirt gegrepen,' beet Mama Roos hem toe. 'Het is niet voor het eerst dat je in de problemen komt dit jaar, George Lenx. Wat zeg ik, het is niet eens de eerste keer deze wéék.'

'Maar ik moet mezelf toch kunnen verdedigen,' protesteerde George.

'Ach, kom nou toch!' zei Mama Rose verachtelijk. 'Dat meen je toch niet serieus? Tegen een aangeklede tandenstoker? Weet je nog wat er gebeurde, de laatste keer dat je de regels overtrad en bij de gouverneur moest komen?'

'Ja, toen heeft ze me het Nedergindse in gestuurd,' zei George schaapachtig.

'Naar welke ring in het Nedergindse?'

'De tweede.'

'En wat is er daar met je gebeurd?'

George keek ongemakkelijk om zich heen. 'Daar heeft een Nederhapper mijn grote teen afgebeten.'

'Ai! Ja, toen is je grote teen afgebeten!' bulderde Mama Roos. 'En is die weer aangegroeid, George Lenx?'

'Nee.'

'Nee, natuurlijk niet! Mensentenen zijn geen hagedissenstaarten! Ze groeien niet weer aan! Dus tenzij je nog een keertje naar het Nedergindse wilt – misschien deze keer naar de derde ring, met wezens die een voorkeur hebben voor zachtere, delicatere hapjes dan grote tenen – stel ik voor dat je maakt dat je wegkomt en deze A'tjes met rust laat.' 'Ja, Mama Roos.' George was bleek geworden bij de gedachte aan de zachte en delicate hapjes waaraan ze mogelijk refereerde. Hij liep haastig de hellingbaan af.

'En jij, Barbie Birgit.' Mama Roos keerde zich naar Birgit. 'Ik zou je van harte willen aanraden om bij Ferrie Benjamin uit de buurt te blijven.'

'Ik heb helemaal niks gedaan,' zei Birgit met een onschuldig gezicht. 'George begon met vechten. Ik niet.'

'Denk je nou echt dat ik achterlijk ben, juffie?' snauwde Mama Roos. 'Die onnozele hals loopt als een hondje achter je aan, helemaal verrukt van je aanstellerige maniertjes. Hij is nog te stom om te weten hoe stom hij is. Vooruit, maak dat je wegkomt!'

Met een nijdig gezicht liep Birgit Bongers de hellingbaan af. Ondertussen hielp Ferrie Theodoor overeind. Zijn neus bloedde, zijn bovenlip begon op te zwellen.

'Je weet waar de ziekenboeg is, hè?' vroeg Mama Roos.

'Ja,' zei Theodoor, met een enigszins dikke tong. 'Maar ik voel me prima.'

'Nee, je voelt je helemaal niet prima. Je ziet eruit als een varken in een houtversnipperaar. Vooruit, naar de ziekenboeg, en daarna kun je meteen door naar je eerste les. Nedermagie-voor-Beginners begint over drie uur. En dan nog wat...' Mama Roos boog zich dicht naar hem toe. 'Als je ooit weer een stoot uitdeelt, moet je je arm met je lichaam volgen. Je lijkt wel een meisje, zoals je uithaalt.'

Na die woorden beende Mama Roos met grote passen weg, de studenten verbijsterd achterlatend.

De ziekenboeg was een grote tent, gebouwd op een platform ongeveer halverwege de stam van de banyanboom. De tent zelf was gemaakt van grof, ivoorkleurig materiaal dat ooit was gebruikt voor de zeilen van een schip. Het rimpelde licht in de bries. Binnen hield Theodoor een ijszak tegen zijn dikke lip terwijl een verpleegster antibioticazalf op zijn kneuzingen smeerde. Behalve zijn lip was ook zijn hele gezicht licht opgezwollen, waardoor hij er – merkwaardig genoeg – gezonder uitzag, niet meer zo brood- en broodmager.

'Waarom dééd je dat nou?' vroeg Ferrie. 'Hij was twee keer zo groot als jij.'

'Omdat hij met z'n poten aan jou zat,' zei Theodoor met een dikke tong, alsof daarmee alles was verklaard.

'Nou, de volgende keer heb ik graag dat je me m'n eigen sores laat oplossen, oké? Ik kan heus wel voor mezelf opkomen.'

Theodoor haalde zijn schouders op. 'Ik kan je niks beloven. Wanneer mijn beste vriend in gevaar is, krijgen mijn vuisten een eigen wil. Dan veranderen ze in vernietigende krachten. Dodelijke wapens.'

'Zo, je kunt er weer tegen.' De verpleegster draaide het dopje op de zalftube. 'En probeer die dodelijke wapens in de kast te houden tot je weer een beetje bent opgeknapt,' voegde ze er met een wrange glimlach aan toe.

'Ik zal mijn best doen,' beloofde Theodoor met tegenzin, en hij gaf haar de ijszak terug. 'Maar soms beginnen mijn vuisten al te praten voordat mijn voeten in beweging komen. Zo zit ik nou eenmaal in elkaar.'

Ferrie was verbaasd over Theodoors zelfverzekerdheid, over zijn ongelooflijke zelfvertrouwen. Hoe wanhopig Ferrie er ook naar had verlangd om de deur uit te mogen en met kinderen van zijn eigen leeftijd te kunnen omgaan, nu hij ontdekte hoe gemeen sommige kinderen konden zijn, werd hij geplaagd door twijfel aan zichzelf. Zijn ouders mochten dan altijd veel te beschermend zijn geweest en hem hebben verstikt met hun liefdevolle verzorging, ze hielden wel onvoorwaardelijk van hem. En ze hadden samen ook momenten van oprecht geluk en plezier gekend. Ferrie grijnsde bij de herinnering aan hun bezoek aan een pretpark, ter ere van zijn laatste verjaardag. Natuurlijk had zijn moeder geweigerd om zelfs maar in de buurt van de achtbaan te komen – 'kotsmachines', zoals zij ze noemde – maar Ferrie en zijn vader hadden er uitbundig van genoten.

'De mannen Benjamin gaan dwars door hun angst heen!' had Wunibald triomfantelijk geroepen tijdens de lange, trage klim voordat hun karretje zich tot hun verrukking in de diepte stortte. 'De mannen Benjamin zijn niet bang!' Toen hadden ze hun armen in de lucht gegooid, en terwijl het autootje in razende vaart naar beneden dook, hadden ze het uitgegild van gelukzalige doodsangst.

Ferrie voelde een steek van heimwee.

'Is alles goed met je?' Theodoor nam hem bezorgd op.

'Ja hoor, niks aan de hand.' Ferrie probeerde uit alle macht zijn heimwee te verdringen. 'Ik moest gewoon ergens aan denken. Trouwens, ik moet rennen. Uitdrijven-voor-Beginners begint al over een paar minuten.'

'Ik wou dat ik meekon,' verzuchtte Theodoor. 'Maar ik moet wachten op die stomme les Nedermagie.'

'Ik ben er ook, als mijn eerste les afgelopen is.'

'Dubbele-Dreiging betekent ook de dubbele hoeveelheid werk, hè?' Theodoor grijnsde.

'Daar lijkt het wel op.'

'Nou ja, veel succes dan maar. Ik weet zeker dat ik binnenkort naast je zit bij Uitdrijven. Zodra de gouverneur beseft dat er een tragische fout is gemaakt.'

Ferrie knikte bemoedigend. 'Ik zal proberen alles zo goed mogelijk te onthouden. Dan kan ik je bijpraten als het eenmaal zover is. Tot straks.'

En met die woorden zette hij koers naar zijn eerste lesuur aan de Nachtmerrie Academie.

Uitdrijven-voor-Beginners werd gegeven in een soort arena, uitgehakt in een kalkstenen grot langs de kust, ver van de eigenlijke Academie. In het midden van het strijdperk bevond zich een ronde kuil met zand, met daaromheen oplopende stenen tribunes zoals in een amfitheater, waardoor de toeschouwers goed konden zien wat er beneden gebeurde. Er hing een sfeer als van eeuwen her, en Ferrie stelde zich voor dat Romeinse gladiatoren ooit, in een ver verleden, in die kuil hadden gestreden.

'Aha! Daar ben je,' zei een vertrouwde stem. Ferrie draaide zich om. Violet zat op een van de stenen banken, omringd door een stuk of vijftien andere studenten. Ze had haar schetsboek opengeslagen op schoot liggen en hield een potlood in haar hand. 'Ik hoor dat je hebt gevochten.'

'Nou, dat klopt niet helemaal. Téchnisch gesproken was het Theodoor.' Ferrie liep naar haar toe. 'Dat wil zeggen, hij heeft de nodige klappen uitgedeeld en geïncasseerd.'

'Daar is hij gek op, hè?'

'Dat weet ik niet, maar zijn vader is Uitdrijver. Dus misschien zit het hem gewoon in zijn bloed. De dráng om te vechten, bedoel ik. Niet dat hij er erg goed in is.'

Violet boog zich vertrouwelijk naar hem toe. 'Denk erom dat je het niet tegen hem zegt, maar hij zou in mijn plaats hier moeten zitten. Ik heb helemaal niks met vechten. Echt niet. Ik teken veel liever.'

'Waar ben je mee bezig?'

Ze hield het schetsboek omhoog, met een gedetailleerde tekening van een vliegende draak. Het monster hield een ei in zijn klauwen geklemd, terwijl het vuur spuwde naar een andere draak, die hem verbeten achtervolgde. 'Ik noem het *De Eierdief*. Deze draak heeft het ei gestolen van de moederdraak die hem woedend op de hielen zit. Hoe vind je het?'

'Verbijsterend. Het ziet er zo echt uit – voor iets wat niet echt is, bedoel ik.'

'Bedankt, maar ik moet nog heel veel leren voordat ik me kan meten met beroepskunstenaars.' Ze gebaarde een beetje denigrerend naar haar tekening, maar het was duidelijk dat ze blij was met het compliment.

Plotseling zwaaiden de grote houten deuren naar de kuil open, en Max betrad de arena, met zijn cowboyhoed zelfverzekerd schuin op zijn hoofd, zijn lasso en zijn korte zwaard op zijn heup. 'Daar gaan we!' riep hij naar de leerlingen die verspreid over de stenen tribune zaten. 'Wie als laatste in de kuil is, krijgt veertig lassoslagen.'

De leerlingen stormden de treden af. Niemand wilde op de eerste dag de laatste zijn.

Max bekeek hen met een sceptische blik. 'Zo, dus jullie zijn de toekomstige Cowboys van het Bureau Nachtmerries.' Hij schudde somber zijn hoofd. 'Nou, dat is niet iets om vrolijk van te worden.'

'Meneer?' vroeg Violet.

'Ik heet gewoon Max. Zeg het eens!'

'U noemde ons "Cowboys". Maar we zijn toch Uitdrijvers?'

'Cowboys, Uitdrijvers, als het beestje maar een naam heeft. Waar het op neerkomt, is dat ik hier eigenlijk helemaal geen zin in heb. Ik ben veldwerker, in actieve dienst, geen kinderoppas voor A'tjes die nog nat zijn achter hun oren. Is dat duidelijk?'

Iedereen knikte.

'Dat gezegd hebbende zal ik me erbij moeten neerleggen dat ik voorlopig voor de klas sta. Tot er op beleidsniveau een paar akelige plooien zijn gladgestreken,' vervolgde Max. 'Dus laten we maar proberen er het beste van te maken. Hoe eerder we beginnen, hoe eerder we klaar zijn, dus vooruit met de geit! Wie weet wat P.V.D.D. betekent?'

De studenten zwegen.

'Dus er is niemand die het weet?' vroeg Max verbijsterd. 'Geen van jullie kent de meest fundamentele regel van het Uitdrijven? Wauw. Goed, dan zal ik het jullie vertellen. P.V.D.D. betekent Punt Van de Diepste Duisternis. Ik wou dat ik een bord had, of iets dergelijks, zodat ik het kon opschrijven. Hoe dan ook, waar het op neerkomt is dat een Nederwezen – een Nedercreatúúr, om de juiste terminologie te hanteren, Juffrouw Van-Haarklover-tot-Scherpslijper...'

Hij keek Violet doordringend aan. Ze werd vuurrood.

'Afijn... Het betekent dat de doorsnee boze geest bijna áltijd de donkerste plek zal opzoeken wanneer hij via een poort onze wereld heeft weten binnen te komen. Omdat boze geesten doorgaans binnenkomen tijdens een nachtmerrie, en omdat nachtmerries doorgaans in bed plaatsvinden, zul je tachtig procent van de doorsnee Nederwezens aantreffen op de donkerste plek van een kinderslaapkamer. Heeft iemand een idee wat die plek zou kunnen zijn?'

Een kleine jongen met een mediterraan uiterlijk stak aarzelend zijn vinger op. Max wees naar hem. 'Zeg het maar!'

'Onder het bed?' opperde de jongen.

'Natuurlijk! Onder het bed! Je krijgt een medaille. Niet letterlijk natuurlijk, maar je begrijpt wat ik bedoel. Hoe vaak wordt er niet gesproken over "monsters onder het bed"? Dat is omdat ze zich daar ook meestal verstoppen! Noem nog eens een plek.'

Moedig geworden door het succes van hun medestudent, staken diverse kinderen hun vinger op. Max wees naar het jongste kind, een klein meisje met een rond gezicht en staartjes.

'Jij daar. Met de staartjes. Zeg het maar.'

'In de kast,' zei ze ademloos.

'Natuuuuurlijk! In de kast! Dank je wel!' bulderde Max. 'Monsters onder het bed, boze geesten in de kast of op zolder. Daar gaat het voortdurend over, simpelweg omdat ze daar ook zitten! Dus wanneer je wordt ingeschakeld om een huis te verkennen waar het vermoeden van een poort bestaat, wáár ga je dan onmiddellijk naar op zoek?'

'Naar het Punt Van de Diepste Duisternis!' riepen de studenten in koor.

'Asjemenou, misschien is er nog hoop voor jullie,' zei Max met een zweem van een glimlach. 'Maar voordat we denken dat we de buit al binnen hebben, zullen we ons moeten verdiepen in de techniek van het Uitdrijven.'

Hij liep naar een ruwe houten tafel, waarop een verzameling wapens lag die duidelijk veel waren gebruikt waren – zwaarden vol krassen en kepen, dito bijlen, knuppels met gebutste en gedutste handvatten. Niet echt een inspirerende collectie.

'Oké, ze zien eruit alsof ze rijp zijn voor de schroot. En dat zíjn ze ook. Maar jullie verdienen niet beter. Dat wil zeggen, niet voordat jullie weten hoe je met een écht wapen moet omgaan. Want ze mogen er dan niet uitzien, ze zijn heel wat bruikbaarder dan gewone wapens. Tenminste, voor onze doeleinden. Deze wapens zijn namelijk allemaal gemaakt van materialen uit het Nedergindse – ijzererts, touw, noem het maar op – dus ze reageren op mensen met de Gave. Oké, jullie mogen er ieder een uitkiezen.'

De studenten renden naar de tafel. Violet pakte een kleine dolk. Dat vond ze de meest bescheiden keuze. Het gevest was omwikkeld met afplakband, blijkbaar om te voorkomen dat het uit elkaar zou vallen. Zodra ze de dolk vastpakte, begon hij een vaag blauwe gloed te verspreiden.

Ferries voorkeur ging uit naar een lang, dun rapier. Het had niet het krachtige heft van een zwaard, maar wat het miste aan gewicht, maakte het goed in snelheid. Toen hij er woest mee begon uit te halen, schreef het een soort flonkerend, blauw mistspoor in de lucht. De rest van zijn klasgenoten pakte de overgebleven wapens – een knuppel, diverse zwaarden, zelfs een speer. Nadat alle Uitdrijvers-in-opleiding hun keuze hadden gemaakt, bleef er een merkwaardig stapeltje rommel op de tafel achter: een metalen ketting, een breekijzer, een zaklantaarn, een flesopener.

'Niemand wil de flesopener, hè?' vroeg Max. 'Weten julie het zeker? Je weet nooit wanneer je een goede flesopener nodig hebt.'

Niemand toonde zich geïnteresseerd. Zoals te verwachten was geweest, waren de studenten te zeer ingenomen met de dodelijker wapens die ze hadden uitgekozen. '*En garde!*' riep Ferrie blijmoedig, een medestudent uitdagend tot een duel. Ze begonnen een speels gevecht, en het duurde niet lang of de andere studenten volgden hun voorbeeld. Zwaarden beukten schallend op knuppels, bijlen en hellebaarden sloegen onder luid gekletter tegen elkaar.

'Ho! Stop!' riep Max. 'Leg neer die dingen, voordat jullie elkaar een neus of een been afhakken. We zijn hier niet op de kleuterschool. Dit is een serieuze zaak.'

Met tegenzin lieten ze hun wapens zakken.

'Zo, we zullen eens zien hoe jullie je weten te handhaven tegenover jullie eerste Nederwezen.' De grote houten deuren die toegang gaven tot de arena, zwaaiden open, en een Nederjager zo groot als een bestelwagen kwam op acht reusachtige spinnenpoten het strijdperk binnen. De studenten hielden geschokt hun adem in en deinsden achteruit. Niemand had iets dergelijks al tijdens de eerste les verwacht.

'Succes!' Max liep grijnzend hij naar de andere kant van de arena. 'Trouwens,' fluisterde hij toen hij langs Ferrie kwam. 'Het antwoord is vier.'

'Het antwoord waarop?' vroeg Ferrie, maar Max was al doorgelopen.

Terwijl de Nederjager dichterbij kwam, hieven de studenten schuchter hun sjofele wapens, waardoor het woeste gedrocht in een zwakke, blauwe gloed werd gehuld. De Nederjager keek hen aan met zijn donkere spinnenogen... Toen gooide hij zijn kop achtover en begon te lachen.

'Denken jullie nou echt dat ik daar van schrik?' vroeg hij vrolijk.

Hoofdstuk 10

De transformerende Snark

'Dat... dat monster... Wat zei het?' vroeg het meisje met de staartjes verbijsterd.

'Hét zei,' antwoordde de Nederjager nadrukkelijk: '"Denken jullie nou echt dat ik daar van schrik?"' Waarschijnlijk omdat hét zich kostelijk vermaakt met de aanblik van een klas A'tjes die met angst en beven de wapens heffen.'

Max kwam weer naar voren lopen.

'Hét heeft trouwens een naam.' Hij klopte het schepsel liefkozend op een van zijn harige poten. 'Dit is Professor Xixclix. Hij is al sinds ik een A'tje was, monstermeester van de Academie. Hoe gaat het, Xix?'

'Het kon slechter,' zei het schepsel grijzend. 'Behalve dat ik steeds ouder word, en mijn studenten blijven jong.'

'Ach, de jaren krijgen ons uiteindelijk allemaal te pakken,' antwoordde Max hartelijk. Toen keerde hij zich naar zijn studenten. 'Dit is het volgende wat jullie goed moeten onthouden: Niet alle wezens uit het Nedergindse zijn hersenloze, kwijlende monsters. Sommige zijn behoorlijk slim. En in elk geval een van hen – in de figuur van die goeie ouwe Xix – heeft ermee ingestemd ons te helpen. Vanwege zijn nogal bijzondere ervaring gaat Xix over alle Nederwezens die we tijdens onze opleiding zullen gebruiken.'

'Dat klopt.' Xix scharrelde naar voren, waarop de studenten instinctief nog verder achteruitdeinsden. 'Jullie weten allemaal dat ik een Nederjager ben, maar wie kan me vertellen van welke categoríé?'

Het bleef stil, totdat Ferrie zich plotseling herinnerde wat Max had gezegd. *Het antwoord is vier.*

'Van de Vierde!' riep hij dan ook.

'Dat is juist,' zei Xix. 'Om de categorie van een Nederjager te bepalen, hoef je alleen de oogstelen maar te tellen.'

Ferrie zag dat het er inderdaad vier waren.

'En dan nog een vraag,' vervolgde Xix. 'Blijft een Nederwezen zijn hele leven tot dezelfde categorie behoren, of kan hij hoger klimmen?'

Violet stak aarzelend haar vinger op.

'Zeg het maar, jonge Uitdrijver.' Xix wees met een harige poot naar haar.

'Ze kunnen naar hogere categorieën klimmen?' opperde ze aarzelend.

'Dat klopt.' Xix knikte. 'Hoe ben je tot die conclusie gekomen?'

'Doordat ik zag dat u een vijfde oogsteel hebt die bezig is zich te ontwikkelen. Dat betekent dat u uiteindelijk tot de Vijfde Categorie gaat behoren.'

'Uitstekend!' zei Xix. 'Buitengewoon scherp geobserveerd. Toen ik me aansloot bij de Nachtmerrie Academie, behoorde ik tot de Derde Categorie. Een aantal jaren geleden ben ik gepromoveerd naar de Vierde. En over niet al te lange tijd ga ik over naar de Vijfde. Je hebt goede ogen, jonge Uitdrijver.'

'Dank u wel,' zei Violet licht blozend.

'Zo, en nu even geduld. Ik ben zo terug met jullie eerste uitdaging.' Hij verdween haastig door de grote houten deuren van de arena.

'Terwijl we wachten, wil ik jullie voorstellen aan Kyoko.'

Max deed een stap naar voren. 'Ze is gediplomeerd Nedermagiër en ze gaat ons vandaag assisteren door een poort te creëren.'

Een lang, Aziatisch meisje van een jaar of zeventien kwam van de toeschouwersgalerij naar beneden. Haar zwarte haar hing sluik langs haar porseleinblanke gezicht. 'Hallo allemaal,' zei ze vriendelijk. 'Wilt u de poort nu al, professor?'

'Nee, wacht maar even. Tot Xix het wezen onthult dat onze A'tjes vandaag gaan Uitdrijven. Trouwens, ik heet gewoon Max.'

'Oké,' zei ze, zacht giechelend.

Ze is verliefd op hem, dacht Ferrie enigszins geamuseerd.

Op dat moment kwam Xix de arena weer binnen, voorzien van een wriemelende zak van spinnenzijde. Althans, daar leek het op. Een soort cocon, die hij op de zanderige bodem van de arena legde. 'Ik laat jullie kennismaken met een Ectoschim van de Eerste Categorie,' zei hij, en hij begon haastig de spinnenzijde open te snijden om het ingekapselde schepsel te bevrijden.

Een groene klodder zo groot als een dobermann glibberde naar buiten. Zo te zien had het de consistentie van een kwal. In het centrum van de klodder kon Ferrie de overblijfselen van zijn laatste maaltijd onderscheiden: wat kleine botjes, een gesp van een riem en iets wat verdacht veel leek op een iPod.

'Ferrie, ga je gang.' Max wees naar hem met zijn duim.

'Ik?' antwoordde Ferrie verschrikt. 'Wat moet ik doen?'

'Het schepsel Uitdrijven, natuurlijk. Door de poort,' antwoordde Max nonchalant. Toen keerde hij zich naar Kyoko. 'Mag ik je verzoeken?'

Kyoko sloot haar ogen en concentreerde zich uit alle

macht. Gloeiend paarse vlammen dansten over haar lichaam, en na enkele ogenblikken verscheen er een kleine poort in het midden van de arena.

'Eh...' begon Ferrie onzeker.

'Kom op, knul. Uitdrijven gaat niet vanzelf,' zei Max plagend.

Aarzelend schuifelde Ferrie in de richting van de Ectoschim, met zijn rapier voor zich uit, aarzelend, aftastend, als een blinde met een wandelstok. Naarmate hij dichter bij het schepsel kwam, werd de blauwe gloed van het rapier intenser.

'Je ziet dat de blauwe gloed vuriger wordt, naarmate je dichter bij het Nederwezen komt,' onderwees Max. 'Dat kun je ook omdraaien. In die zin, dat die blauwe gloed je in sommige gevallen kan vertellen of je wordt beslopen door een kwaadaardig wezen.'

De klas knikte, maar Ferrie hoorde geen woord van wat er werd gezegd. Hij concentreerde zich volledig op de groene klodder voor hem. Toen hij de Ectoschim op misschien een meter was genaderd, leek die zich plotseling bewust te worden van zijn aanwezigheid. Het wezen glibberde zijn kant uit, waarbij de huid rimpelde als een olievlek na een zware regenbui.

'En nu?' vroeg Ferrie.

'Dat moet je niet aan mij vragen.' Max grijnsde. 'Jij bent de Uitdrijver.'

'Natuurlijk,' mompelde Ferrie. 'Domme vraag.' Toen keerde hij zich weer naar de Ectoschim. Naarmate het wezen dichterbij kwam, bewoog het steeds sneller. 'Terug! Ga terug!' riep Ferrie. Zijn rapier floot door de lucht, en tot zijn eigen verbazing sneed hij de Ectoschim keurig in tweeën. 'Cool!' zei hij, toen hij besefte wat hij had gedaan.

De klas juichte en barstte los in applaus. Ferrie voelde

zich warm worden door het succes en door de waardering die hij ontving. 'Goed gedaan, Ferrie!' schreeuwde Violet.

Hij draaide zich om en maakte een buiging naar zijn medestudenten.

Ondertussen gebeurde er achter hem iets vreemds: er ging een huivering door de twee helften van de Ectoschim, toen begonnen ze te groeien, tot ze twee afzonderlijke Ectoschimmen vormden, allebei net zo groot als het origineel.

Beide Ectoschimmen begonnen naar Ferrie toe te glibberen.

'Pas op!' riep Violet.

Ferrie draaide zich om en zag de geleiachtige wezens op zich afkomen. 'Wat moet ik doen?' riep hij uit. 'Als ik ze te lijf ga, verdubbelen ze zich!'

'Tja, dat is een probleem,' antwoordde Max, enigszins geamuseerd.

Een van de Ectoschimmen had Ferries voet bereikt. Vliegensvlug glibberde hij langs zijn been omhoog. Ferrie voelde hem door zijn spijkerbroek heen, koud en klam, als een oester.

'Hij heeft me te pakken!' Instinctief begon hij er weer op in te hakken met zijn rapier. Het wezen spleet in tweeën. Opnieuw ging er een huivering door de twee helften, waarop die in hoog tempo groeiden tot hun oude, gezamenlijke omvang. De twee aldus ontstane Ectoschimmen rukten verder op naar Ferries buik, waar de derde zich bij hen voegde.

Nu zaten er drié op zijn lichaam.

'Hm-m,' zei Max nonchalant. 'Iemand zal Ferrie te hulp moeten komen. Anders zou het wel eens slecht met hem kunnen aflopen.'

De studenten op de tribune keken elkaar nerveus aan.

Ze wisten geen van allen wat ze moesten doen. Hoe versloeg je iets wat sterker werd met elke aanval die je deed?

'Wacht eens even...' zei Violet plotseling.

Ze liet haar dolk vallen en rende naar de tafel met wapens. Gejaagd zocht ze tussen de resterende rommel naar de zaklantaarn, en ze knipte hem aan. Een rechte baan helder wit licht scheen door het glaasje, de zaklantaarn zelf verspreidde een stralende blauwe gloed. Ze richtte de lamp op de Ectoschimmen, die inmiddels over Ferries borst kropen, op weg naar zijn gezicht.

'Ga van hem af!' riep ze.

De Ectoschimmen reageerden op het licht alsof ze door een wesp waren gestoken. Haastig glibberden ze van Ferrie af en trokken ze zich terug. Violet drong naar voren en gebruikte de lichtstraal om de wezens door de openstaande poort te drijven.

'Vooruit!' riep ze. 'Weg hier!'

Na een laatste zwaai met de zaklantaarn trokken de Ectoschimmen zich terug door de poort.

'Moet ik hem dichtdoen?' vroeg Kyoko, nog altijd gehuld in flakkerende paarse vlammen.

'Ja, graag,' antwoordde Violet. Haar hart bonsde in haar keel.

Met een handgebaar sloot Kyoko de poort, aldus de Ectoschimmen wegsluitend in het Nedergindse. Even gebeurde er niets, toen werd de stilte verbroken doordat er iemand begon te klappen. Violet draaide zich om en zag dat Max haar een applaus gaf.

'Zó doe je dat,' zei hij. 'Hoe kwam je op het idee om de zaklantaarn te gebruiken?'

'Door wat u zei over het punt van het diepste donker. De wezens uit het Nedergindse houden niet van licht.'

'Precies.' Max kwam haastig naar haar toe. 'Dus je ziet,

Uitdrijven heeft niet zozeer te maken met spierkracht en of je kunt vechten, het gaat er vooral om goed na te denken. Om "je grijze cellen te gebruiken" zoals mijn moeder altijd zei. De cowboy die zijn of haar koppie erbij weet te houden en buiten de geijkte patronen kan denken, zal zich als Uitdrijver staande weten te houden. M'n complimenten, meid.'

En hij schonk Violet een vriendelijke knipoog.

Na afloop van de les was ze nog altijd in de wolken. 'Misschien kan ik het toch!' zei ze, terwijl ze langs de woeste branding liepen buiten de grotten waarin de Uitdrijfarena was uitgehouwen. 'Het gaat niet alleen om knokken en jongensdingen. Je moet er ook slim voor zijn.'

'Ja, zeg dat wel,' mompelde Ferrie.

'Wat is er?'

'Ik stond goed voor gek!'

'Helemaal niet,' protesteerde Violet. 'In jouw plaats zou ik me ook geen raad hebben geweten. Iemand moest dat schepsel aanvallen. Zo moeten we het leren. Anders hadden we nooit geweten wat er vervolgens gebeurde.'

'Nee, dat zal wel,' zei Ferrie, nog altijd niet overtuigd.

'Daar is de DD!' riep een stem, een eind verderop langs het strand. Toen Ferrie en Violet zich omdraaiden, zagen ze Theodoor op zich af komen. Zijn gezicht was nog altijd rood en opgezwollen. Achter hem rees de Nachtmerrie Academie op. 'Hoe was Uitdrijven-voor-Beginners?'

'Geweldig!' tjilpte Violet.

'Ellendig,' zei Ferrie.

'Aha.' Theodoor keek van de een naar de ander. 'EVVM – ernstig verschil van mening.'

'Let maar niet op Ferrie,' zei Violet met een speelse grijns. 'Hij is gewoon een beetje chagrijnig omdat hij niet de kans heeft gekregen te laten zien dat hij de grootste Uitdrijver aller tijden is.'

'Nou, dan krijg je nu de kans om de bordjes te verhangen!' Theodoor sloeg hem op de schouder. 'Nedermagie-voor-Beginners begint zo.'

In de ruimte waar Nedermagie werd onderwezen, was het altijd nacht.

Het donkere klaslokaal was mysterieus verborgen in een uitholling in het hart van de reusachtige banyanboom, slechts toegankelijk via een uiterst wankele touwbrug die eruitzag alsof hij dringend moest worden opgelapt. Toen Theodoor en Ferrie binnenkwamen, zat de klas al vol met studenten die opgewonden door elkaar heen praatten. Zodra ze Theodoor en Ferrie in de gaten kregen, vielen de gesprekken geleidelijk aan stil, zoals een auto met een lege tank hortend en stotend tot stilstand komt.

'Hm-m, ze hadden het over ons,' fluisterde Ferrie.

'Laat ze lekker hun gang gaan,' antwoordde Theodoor met enige trots. 'Ze krijgen niet dagelijks de kans een DD en een vechtmachine schouder aan schouder te zien.'

'Zo denk je echt over jezelf, hè?'

'Natuurlijk,' zei hij. 'Als ik er zelf niet in geloof, wie dan wel?'

Ferrie begon te lachen. Theodoors zelfvertrouwen was als een wonder. 'Misschien heb je gelijk.' Toen keek hij op naar het plafond en ontdekte tot zijn verrassing dat het was bedekt met sterren. Anders dan de plastic sterretjes die hij in zijn slaapkamer boven zijn bed had geplakt, zagen deze eruit alsof ze écht waren. Daartussen trok een eenzame komeet zijn baan langs het plafond, maar doofde voordat hij de muur had bereikt.

'Een hologram. Absoluut een hologram.' Theodoor gebaarde naar de verbazingwekkende sterrenhemel boven hun hoofd. 'Waarschijnlijk achtergrondprojectie. Uitstekend systeem. Topkwaliteit.'

'Ja, dat zal wel,' viel Ferrie hem bij, maar hij was niet zo zeker van zijn zaak. De sterren en planeten die boven hen aan de 'hemel' schitterden, zagen er zo echt uit, dat hij bijna het gevoel kreeg alsof hij ernaartoe zou kunnen reizen.

Plotseling klonk er een zacht plofje, en er opende zich een poort op het podium voor in het lokaal. Tabitha verscheen en sloot de poort achter zich.

'Goedemiddag,' zei ze tegen de klas, terwijl ze haar vingers een beetje nerveus over haar sieraden liet gaan. 'Ik ben Tabitha Groeneweg, maar de gouverneur staat erop dat jullie me aanspreken met "professor" Groeneweg. Dus daar moeten we ons dan maar aan houden. Dit is jullie eerste les Nedermagie-voor-Beginners, en het is ook míjn eerste les als jullie docent. Vandaar dat ik voorstel het elkaar niet te moeilijk te maken. Afgesproken?'

De studenten knikten.

'Akkoord,' vervolgde Tabitha. 'Nedermagie is de kunst om poorten te openen van en naar het Nedergindse. En het is inderdaad een kúnst. Jullie kunnen het allemaal, anders zaten jullie hier niet, maar jullie kunnen het nog niet op commando, en met de vereiste precísie. Het wemelt in de wereld van kinderen die onbewust poorten openen als ze een nachtmerrie hebben, maar slechts een enkeling is in staat dat te doen als hij of zij wakker is, en bovendien op een specifieke plék. Waaraan ontlenen jullie het vermogen om dat te doen?'

'Aan de Gave,' antwoordde Alejandro Ramirez zonder aarzelen.

'Inderdaad,' zei Tabitha. 'En het is onze verbeelding die

ons toegang verleent tot de Gave. Maar waardoor wordt de Gave gevóéd? Op welke emotie moeten we daarvoor een beroep doen?'

'Angst,' zei Ferrie, zich er niet van bewust dat hij zijn mond had opengedaan. Toen hij besefte dat hij hardop zijn gedachten had uitgesproken, werd hij overvallen door gêne.

'Heel goed, Ferrie,' zei Tabitha. 'Angst is tegelijkertijd ons wapen en onze vijand. We hebben hem nodig om ons werk goed te doen, maar als we hem niet onder controle houden, als we hem niet in goede banen leiden, zal de angst ervoor zorgen dat we rechtsomkeert maken en ervandoor gaan, juist op het moment dat we er gebruik van moeten maken. Dus de eerste vraag die we onszelf moeten stellen, is: "Hoe krijgen we toegang tot onze angst?" Hoe maken we onszelf bang genoeg om een poort te kunnen openen als dat nodig is? Als we slapen en een nachtmerrie hebben, is het een koud kunstje, maar hoe doen we het overdag, op commando?'

De studenten zwegen. Tabitha keerde zich naar Ferrie. 'Hoe gaat dat bij jou? Je hebt het gisteravond tenslotte gedaan. En ik geloof dat iedereen het erover heeft. Ik heb je geholpen. Hoe deed ik dat?'

'U zei dat ik op het dak van een hoog gebouw stond.'

Tabitha knikte. 'Dat klopt. Angst voor hoogten. En toen?'

'Toen zei u dat ik viel.'

'Angst om te vallen. En toen?'

'Eh... Ik weet het niet meer.'

'Ja, je weet het nog wel,' drong Tabitha aan. 'Bij dit vak komen er heel wat persoonlijke gevoelens aan de orde. Dat is misschien niet altijd gemakkelijk, maar het móét. Dus vraag ik je nogmaals: Wat gebeurde er toen?'

Hoe pijnlijk Ferrie het ook vond, hij besefte dat hij geen

andere keus had dan eerlijk te zijn. 'Toen zei u dat mijn ouders me zouden kunnen redden als ze dat wilden... maar dat ze dat niet wilden.'

'Dat klopt, Ferrie. Dank je wel. Angst om verlaten te worden. Ga door.'

'U zei dat er kinderen in het gebouw waren die me zouden kunnen helpen, maar dat die het ook niet wilden.'

'Angst voor afwijzing door je leeftijdsgenoten. Die hakt er heel hard in. En er was nog iets, weet je nog? Terwijl je viel, wat zei ik toen dat er met je ging gebeuren?'

'U zei dat ik dood zou gaan,' zei Ferrie zacht.

'Angst voor de dood.' Tabitha knikte instemmend. 'Dus angst voor hoogten, angst om te vallen, angst voor verlating, angst voor afwijzing, angst voor de dood. Een van die angsten, of een combinatie daarvan, gaf Ferrie toegang tot de Gave, waardoor hij een poort kon openen.'

'En niet zomaar een poort!' riep Theodoor uit. 'Een reusachtige poort! De grootste poort die ooit is geopend!'

'Dat is waar,' zei Tabitha. 'Maar dat kwam omdat Ferries beheersing van de Gave nog beperkt en stuurloos is. Bij dit vak gaan we leren onze Gave onder controle te krijgen. Toen ik Ferrie probeerde te helpen de poort te openen, appelleerde ik aan een reeks gewone angsten, in de hoop er een te vinden waardoor hij toegang zou krijgen tot de Gave. Want niet alle angsten zijn gelijk. Heel vaak moet je een persoonlijke angst zien te vinden, iets wat je tot in het diepst van je ziel bang maakt, om in staat te zijn een poort te openen. De komende paar dagen gaan we op zoek naar die angsten, zodat jullie daar een beroep op kunnen doen wanneer dat nodig is.'

'Maar dat kan helemaal niet,' zei Alejandro. 'Hoe kun je jezelf nou bang maken?'

'Hoe maken acteurs zichzelf aan het huilen?' luidde Tabitha's tegenvraag. 'Wanneer de regisseur zegt "Actie", hoe lukt het ze dan echte tranen te produceren? Heel simpel. Ze denken aan iets waar ze verdrietig van worden, iets persoonlijks, om de emotie op te roepen.'

Ferrie keek om zich heen. De andere studenten leken onzeker, nerveus. Ferrie wist precies hoe ze zich voelden.

'Ik zal open kaart met jullie spelen.' Tabitha kwam naar de groep toe. 'Het is een zware, moeilijke weg die jullie gaan volgen. Een weg waarop je elke dag je grootste angsten onder ogen zult moeten zien. De meeste mensen zijn hun hele leven bezig met proberen hun angsten te vermíjden, maar jullie zoeken ze juist op. Dat proces kan aanvankelijk ongemakkelijk lijken, zelfs wreed, maar het is noodzakelijk.' Bij Theodoor gekomen bleef ze staan. 'Waar ben jij bang voor, jongeman?'

'Ik ben helemaal nergens bang voor!' Theodoor ging rechtop zitten. 'Sterker nog, ik zou Uitdrijver moeten zijn, omdat ik nergens bang voor ben. Mijn vader is Uitdrijver,' voegde hij er met enige trots aan toe.

'Akkoord,' zei Tabitha. 'Dan beginnen we met jou.'

Theodoor ging voor de klas op een stoel zitten. 'Dit wordt niks.' Hij sloeg zijn armen over elkaar.

'Probeer nou maar te ontspannen,' stelde Tabitha hem op zijn gemak. 'Ik wil je voorstellen aan een wezen uit het Nedergindse.'

Ze liep naar een kleine kooi op een bureau dat uit het binnenste van de banyanboom was gesneden. Over de kooi lag een zwart fluwelen doek. Tabitha stak haar hand onder het fluweel en haalde iets tevoorschijn.

'Dit is een Snark,' zei ze.

Alle studenten bogen zich naar voren en tuurden ingespannen naar het wezentje dat ze in haar hand hield: een kleine, kwetsbaar ogende, pluizige bol met grote, ronde ogen en een snavelachtig bekje.

Het wezentje koerde zacht.

'Ach, wat schattig!' riep een van de meisjes.

'De Snark voedt zich met angst, op dezelfde manier als een mug dat doet met bloed,' vervolgde Tabitha. 'Terwijl een mug bloed drinkt, vult zijn lichaam zich en wordt het groter. Het uiterlijk van de Snark verandert ook wanneer hij zich voedt.'

'Hoe dan?' vroeg Theodoor.

'Dat zullen we zo zien.' Tabitha zette de Snark op zijn schouder. Het wezentje was zo licht als een veertje en klampte zich met zijn spichtige kleine vogelpoten aan hem vast. 'Doe je ogen dicht,' zei Tabitha tegen Theodoor.

Hij gehoorzaamde.

'Dus jij bent nergens bang voor?' vroeg ze.

'Nee. Dat heb ik altijd al gehad. Ik ben een vechtmachine. Emoties ken ik niet, alleen pure, rauwe kracht.'

'Net als je vader?'

'Absoluut. Hij is een van de taaiste Uitdrijvers die er zijn. Op dit moment is hij op een SGO. U weet wat dat is?'

'Ja, dat weet ik,' zei Tabitha. De Snark tjirpte en koerde zacht op Theodoors schouder. 'Je vader zal wel erg trots zijn geweest toen hij hoorde dat je was aangenomen op de Nachtmerrie Academie.'

'Absoluut. Zo vader, zo zoon.'

'Toch klopt het niet helemaal, is het wel?' vervolgde Tabitha. 'Wat denk je dat hij zal zeggen als hij hoort dat je geen Uitdrijver bent zoals hij?'

'Maar dat ben ik wél! Het is verkeerd gegaan bij die stomme Winde. Ik heb geprobeerd het de gouverneur uit te leggen. Volgens mij was dat beest ziek of zoiets.'

'Je vader heeft dat probleem nooit gehad, hè?'

'Ik neem aan van niet.' Theodoor ging ongemakkelijk verzitten. 'Maar we kunnen ons hele leven niet laten bepalen door zo'n onnozele, disfunctionele –'

'Feit is gewoon dat je geen Uitdrijver bent,' viel Tabitha hem in de rede, terwijl ze naar hem toe liep. 'Dat wilde je graag zijn, en het is wat je vader van je verwácht. Maar je kon het niet. Je bent niet sterk genoeg.'

'Maar dan ben ik wél!' zei Theodoor gejaagd.

Er gebeurde iets met de Snark. Hij begon op te zwellen en aan alle kanten merkwaardige uitstulpingen te ontwikkelen. De pluizige, gele vacht viel weg, zodat de naakte, ruwe huid daaronder zichtbaar werd. Uit zijn achtereind groeide een staart met weerhaken, de snavel veranderde in een naar voren stekende kaak met kleine, scherpe tanden.

Toen Tabitha het in de gaten kreeg, begon ze nog sterker aan te dringen.

'Je vader zal in je teleurgesteld zijn.'

'Nee...'

'Het enige wat hij wilde, was een zoon zoals hij. Een sterke jongeman, een vechtmachine die in zijn voetstappen zou kunnen treden en op wie hij trots zou kunnen zijn. In plaats daarvan kreeg hij jou, een zwakke, onbeduidende Nedermagiër!'

Theodoor was inmiddels bijna in tranen, maar de Snark...

De Snark was opgezwollen tot de afmetingen van een aasgier. Zwarte vleermuisvleugels groeiden met grote snelheid uit zijn rug. Hij fladderde op en bleef vlak achter Theodoor in de lucht hangen, waarbij hij een griezelig, vibrerend geluid produceerde. Onder de grote ogen zonder oogleden schoot een slangachtige tong in en uit de venijnige bek met scherpe tanden, alsof hij de angst in de lucht bijna kon próéven.

'Misschien vindt hij het niet erg...' zei Theodoor zacht,

en hij begon heen en weer te wiegen op zijn stoel. 'Misschien is hij toch wel trots op me.'

'Maar dat geloof je niet echt, hè? Je denkt dat hij het heel erg gaat vinden. Stel je voor dat hij zegt dat je zijn zoon niet meer bent. Dat hij zelfs je aanblik niet meer kan verdragen.'

'Dat hij zich voor me schaamt!' riep Theodoor plotseling uit, en hij sperde in paniek zijn ogen wijd open. 'Dat hij niet meer van me hóúdt!'

Na die woorden groeide de Snark tot de afmetingen van een hyena. Zijn gevorkte tong proefde gretig van de lucht, zoals een drenkeling die eindelijk weer boven water komt, naar adem snakt.

'Hou op!' riep Ferrie tegen Tabitha. Hij keerde zich naar Theodoor. 'Je moet niet geloven wat ze zegt. Het is niet waar, en dat weet je!'

Maar Theodoor kon hem niet horen.

Zijn paniek werd steeds groter, als een sneeuwbal die een heuvel af rolt. Plotseling klonk er een zacht plofje, en vóór hem opende zich een kleine poort, niet groter dan een fietswiel. Paarse vlammen dansten over de rand. Daarachter kon Ferrie de dorre verlatenheid van het Nedergindse onderscheiden en een groepje wezens waarin hij Gremlins herkende. Bij het zien van de geopende poort schoten ze verschrikt weg en verdwenen ze in donkere scheuren tussen de rotsen.

'Heel goed!' Tabitha legde haar handen langs het gezicht van Theodoor en dwong hem haar aan te kijken. 'Het is je gelukt.'

'Wat?' vroeg Theodoor verdwaasd, alsof hij ontwaakte uit een diepe slaap.

'Je hebt een poort geopend naar het Nedergindse, naar de eerste ring.'

Theodoor staarde verbaasd naar de poort die vóór hem in de lucht trilde. 'Heb ik dat gedaan?'

Tabitha knikte en schonk hem een warme glimlach. 'Gefeliciteerd… Nedermagiër!'

Theodoors ademhaling werd langzamer, en er gleed een vluchtige glimlach over zijn opgezwollen gezicht. De poort beefde even, als een luchtspiegeling, toen verdween hij met een zacht, maar duidelijk hoorbaar ploffend geluid.

De Snark, die boven Theodoors hoofd zweefde, begon te krimpen. De kaak met de scherpe tanden trok zich terug, de staart en de vleermuisvleugels verdwenen weer in het lichaam, en terwijl hij begon te dalen, groeide het zachte, gele haar weer aan, tot het wezentje opnieuw als een aanbiddelijke, kleine, gele pluizenbol op Theodoors schouder zat, zacht tjirpend en koerend.

De klas keek er verbijsterd naar.

'Wauw,' mompelde Alejandro.

'Zo te zien hebben we je sleutel gevonden, Theodoor,' zei Tabitha. 'De persoonlijke angst die je door oefening leert gebruiken om poorten te openen wanneer je die nodig hebt. De meeste mensen denken dat de Uitdrijvers de ware helden zijn, maar wíj weten dat de bronnen van de grootste angsten zich niet in de wereld om ons heen bevinden, maar hier…' Ze tikte tegen de zijkant van haar hoofd. 'En we zien die angsten elke dag onder ogen. Ik ben trots op je.'

'Dank u wel, professor Groeneweg,' zei Theodoor zacht, en hij stond haastig op van de stoel.

'Wie nu?' vroeg Tabitha.

Er was niemand die zijn of haar vinger opstak.

Ze glimlachte spijtig. 'Zijn jullie nerveus? Dat kan ik jullie niet kwalijk nemen. Ik heb jullie gezegd dat wat we hier doen, heel zwaar is, zelfs wreed, maar het moet gebeuren als je je vermogens onder controle wilt krijgen. Iedereen komt aan de beurt. Laten we beginnen met jou.' Tabitha gebaarde naar een tenger, jong meisje met muizig bruin haar. Het meisje stond aarzelend op en kwam naar voren.

Zo verstreken er bijna twee uur.

Alle studenten kwamen op de stoel te zitten en kregen een verse Snark op hun schouder. Tabitha ondervroeg hen, eerst vriendelijk, met gebruikmaking van de Snark en haar eigen ervaring als leidraad. Ze tastte hen af, op zoek naar hun angsten, net zoals een tandarts dat doet met een kies, op zoek naar de blootgelegde zenuw.

Sommige studenten beleefden een doorbraak en slaagden erin een kleine poort te scheppen die enkele ogenblikken aarzelend in de lucht hing, voordat hij weer verdween. Andere kwamen niet zover – hun angsten waren nog niet volledig blootgelegd of ze waren nog niet voldoende gevorderd met de Gave om van die angsten gebruik te maken. Uiteindelijk was iedereen aan de beurt geweest.

Behalve Ferrie.

'Dan blijf alleen ik nog over,' zei hij.

'Inderdaad,' moest Tabitha met enige tegenzin toegeven.

'U wilt niet dat ik het doe, hè?' Ferrie begreep ineens wat er aan de hand was. 'U bent bang dat ik... dat ik weer iets ergs doe.'

Hij had gelijk, besefte Tabitha, maar hoe moest hij anders leren om zijn vermogens onder controle te krijgen?

'We beginnen gewoon héél klein,' zei ze gerustellend. 'Kom maar naar voren.'

Ferrie liep naar de stoel die naast Tabitha stond, en ging zitten. Ze reikte in de kooi, haalde er een Snark uit en zette die op zijn schouder.

'Doe je ogen dicht,' zei ze.

Ferrie gehoorzaamde. Bijna onbewust trok de rest van

de klas zich terug, deinsde achteruit, weg van hem en van wat hij misschien ging dóén.

'Het gaat niet om de afmetingen van de poort die we openen, of hoe ver we in het Nedergindse weten door te dringen... Voorlopig gaat het alleen nog om contróle! Laten we eens kijken of we gebruik kunnen maken van een kleine angst, om op die manier een poort te openen naar de eerste ring. Niet verder.'

'Oké.' Ferrie knikte. De Snark kroop tegen zijn hals. Het kriebelde.

'Hoeveel mensen op de wereld hebben de Gave, Ferrie?'

'Twee procent.'

'En hoeveel van die twee procent zijn Dubbele-Dreigingen?'

Ferrie gaf niet meteen antwoord. Hij besefte waar ze op aanstuurde, maar hij wilde haar niet volgen.

'Ferrie?'

'Er wordt elke twintig, misschien dertig jaar maar één Dubbele-Dreiging geboren,' zei hij ten slotte. Hij voelde zijn onbehagen toenemen, als een zwarte vloedgolf die kwam aanrollen. De Snark begon plotseling van vorm te veranderen – hij verloor razendsnel zijn haar, de kale huid werd zichtbaar en begon uit te stulpen.

Tabitha was geschokt door de snelheid waarmee de verandering zich voltrok. 'Ik geloof dat we er voor vandaag maar mee moeten stoppen,' zei ze dan ook.

Maar Ferrie kon haar niet horen. 'Ik ben een freak,' fluisterde hij, terwijl zijn gedachten een weg volgden die hij niet meer kon verlaten. 'En dat zal ik altijd blijven. Zelfs hier.'

'Nee, Ferrie,' protesteerde Tabitha. 'Je bent alleen anders. Dat is alles. Je bent bijzónder.'

'Bijzonder is gewoon een ander woord voor loser!' riep

Ferrie. Hij begon misselijk te worden, er kwam een zure smaak in zijn mond en het kostte hem moeite om adem te halen. 'Ik dacht dat ik een thuis had gevonden, een plek waar ik erbij hoorde, met mensen zoals ik. Maar dat is niet zo. Ze zijn niet zoals ik. Niet echt. Ik zal altijd alleen zijn...'

'Dat is niet waar!' Tabitha keek nerveus naar de Snark, die in een razend tempo bezig was te veranderen. Zijn ogen puilden uit, zijn klauwen werden langer...

'Ik zal nooit gewoon zijn,' vervolgde Ferrie, zonder naar haar te luisteren. Zijn paniek groeide, als een brand die werd aangewakkerd door een felle wind.

'Ik zal nooit echt ergens thuishoren!'

Plotseling veranderde de Snark met adembenemende snelheid in iets monsterlijks. Reusachtige vleermuisvleugels schoten uit zijn rug. Hij sloeg ze uit en zweefde als een kleine draak boven Ferries hoofd. Zijn staart met weerhaken was bijna drie meter lang, vergelijkbaar met zijn vleugelspanne. Honderden glimmend witte tanden, stuk voor stuk zo groot als spoorspijkers, staken naar alle kanten uit zijn snuit.

Tabitha deinsde achteruit, verbijsterd door de snelheid en de omvang van de transformatie. 'Zo is het genoeg, Ferrie,' zei ze. 'Laat het los. Zet het van je af.'

Maar Ferrie kon haar niet horen. Het besef dat de intensiteit en de diepgang van zijn Gave hem even onverbiddelijk van de andere kinderen scheidden als gevangenistralies dat zouden hebben gedaan, maakte hem ziek en deed zijn gedachten in een koortsachtige cirkel ronddraaien.

Zelfs te midden van freaks blijf ik een verstotene, dacht hij. Ik zal altijd alleen zijn.

Altijd alleen.

Plotseling opende zich met een oorverdovende klap een

poort, zelfs nog groter dan de poort die hij in het Bureau Nachtmerries had gecreëerd.

De andere studenten deinsden verbijsterd achteruit.

'Nee,' stamelde Tabitha ademloos.

Er klonk een geluid als van elkaar snel opvolgende kanonschoten, en het kwam dichterbij. Vaag herkende Ferrie het geluid van de hoeven van Barakkas, beukend op de vloer van obsidiaan in zijn burcht in het Nedergindse. Ten slotte verscheen Barakkas zelf. Een fontein van vonken spatte op bij elke stap.

Hij tilde zijn rechterarm op, waarvan het gedeelte onder de elleboog was afgerukt. Om zijn mond speelde een grijns.

'Hallo, Ferrie Benjamin. Daar ben ik weer.'

Hoofdstuk 11

Een gruwelijk geval van huisvredebreuk

Ferries adem stokte in zijn keel. Hij kon zijn ogen niet afhouden van de gruwelijke stomp die Barakkas nonchalant op en neer bewoog.

'Het valt wel mee. De pijn is zo goed als weg. En ik begin er al aan te wennen. Merkwaardig hoe snel dat gaat.' Hij stond zo dichtbij, dat Ferrie bijna kokhalsde door de stank van geiten en wilde dieren die zijn smerige vacht verspreidde.

'Sluit de poort, Ferrie! Nu meteen!' riep Tabitha, maar haar stem klonk als een fluistering van een verre bergtop.

'Ik wilde u geen pijn doen,' zei Ferrie tegen Barakkas. 'Het ging per ongeluk.'

'O, dat wéét ik,' haastte Barakkas zich hem gerust te stellen. 'Je zou zoiets nooit expres doen. Maar... je hebt het wel gedáán. En me een heleboel pijn bezorgd, en een verwonding waarvan ik nooit meer helemaal zal herstellen.'

'Het spijt me,' zei Ferrie.

'Natúúrlijk spijt het je. Het zou iedereen spijten die zoiets verschrikkelijks had gedaan. Of het nu per ongeluk ging of niet. Maar het is één ding om te zéggen dat het je spijt en iets heel anders om dat te laten zíén.'

'Hoe zou ik dat moeten doen?'

'Je hebt me niet alleen van mijn hand beroofd.' Barakkas

deed weer een paar stappen in de richting van de poort, zodat hij nog slechts enkele meters bij Ferrie vandaan stond. 'Je hebt me iets veel kostbaarders ontnomen. Mijn polsband! Kun je je die nog herinneren?'

Ferrie ging in gedachten terug naar zijn eerste ontmoeting met Barakkas. Hij herinnerde zich de brede, metalen band om Barakkas' pols nog maar al te goed, en de grillige, donkerrode gloed die deze in de zaal van de Hoge Raad had verspreid.

'Ja, die kan ik me nog herinneren,' zei hij dan ook.

'Ik wil hem terug. Dat lijkt me toch niet te veel gevraagd.'

Hij klonk zo kalm en sussend... zo rédelijk...

'Maar ik heb hem niet,' zei Ferrie. 'Hij ligt nog bij het Bureau Nachtmerries.'

'Dan stel ik voor dat we hem samen gaan terughalen,' zei Barakkas. Met die woorden stapte de monsterlijke reus door de poort.

Tenminste, dat probeerde hij.

Zodra Barakkas het Nedergindse wilde verlaten, slaakte hij een gekweld gekreun, en hij sloeg tegen de grond met de kracht van een gebouw dat instortte. Stofwolken stegen op, terwijl de reus wankel op de ruwe knokkels van zijn overgebleven hand steunde.

'Wat is er gebeurd?' riep Ferrie geschokt.

Barakkas keek verwilderd om zich heen. 'Waar zijn we hier?' bulderde hij.

'In de Nachtmerrie Academie.' Ferrie deinsde in doodsangst achteruit. Ondanks de martelende pijn waaronder hij leed, straalde Barakkas nog altijd gevaar uit, als de hitte die van gesmolten asfalt af slaat. Sterker nog, hij leek zo mogelijk nóg dodelijker dan daarvoor, als een in het nauw gedreven dier dat moet doden om te overleven.

'Wat is er met u aan de hand?' vroeg Ferrie fluisterend, maar ineens hoorde hij in gedachten de stem van Mama Roos, hoorde hij haar zeggen dat ze in de Academie veilig waren voor de schepselen uit het Nedergindse.

Nu meende hij te begrijpen waarom.

Het was de Academie zélf die Barakkas had teruggeslagen. Blijkbaar herbergden de takken een vreemde, beschermende bezwering. Was dat wat de gouverneur had bedoeld, toen ze had gezegd dat er twee redenen waren om de studenten hier op te leiden? Het stimuleren van de verbeelding was de eerste.

Was dit de tweede reden?

'Sluit de poort!' riep Tabitha. Ze wees naar Barakkas, die zich nog steeds half binnen, half buiten de poort bevond. 'Als je de poort nu sluit, is hij er geweest. Vooruit! Doe wat ik zeg!'

'Ik?' vroeg Ferrie verdwaasd. 'Wilt u dat ík hem doodmaak?'

Maar voordat hij daar de kans voor kreeg, verzamelde Barakkas zijn laatste krachten, en hij boog zich naar achteren, weg van de poort, terug naar zijn veilige burcht in het Nedergindse. 'Verraderlijk loeder,' gromde hij met een blik op Tabitha. Zijn krachten leken snel terug te keren nu hij weer was afgeschermd van de invloed van de Academie.

Hij werkte zich overeind, hoog als een tempelgod uitrijzend boven de mensen aan de andere kant van de poort. 'Hier is het laatste woord nog niet over gezegd,' zei hij. 'Ik mag dan niet in staat zijn hiér over te steken, maar ik vind wel een ander moment, een andere plek.' Hij schonk Ferrie een gruwelijke grijns. 'En wat jou betreft: ik ben niet boos op je, zolang je me maar teruggeeft wat je me hebt afgenomen. Dat meen ik! Dus zorg dat ik mijn polsband terugkrijg!'

'Dat kan ik niet,' zei Ferrie.

'Dat kun je wel,' antwoordde Barakkas. 'Voor jou zal hij zwichten. Maar heel weinigen hebben de macht om hem aan hun wil te onderwerpen. Hij is al honderden jaren oud, een Artefact uit het Nedergindse. Ik zal je schuld aan mij als volledig ingelost beschouwen, zodra je mij de polsband hebt terugbezorgd in mijn paleis. Ik garandeer je een veilige doorgang.'

'Waarom zou ik u geloven?' vroeg Ferrie.

'Omdat ik je mijn woord heb gegeven,' antwoordde Barakkas. 'Als er iemand wantrouwend zou moeten zijn, dan ben ik het, vind je ook niet? Ik heb tenslotte een ernstige verwonding opgelopen, waardoor ik nooit meer helemaal compleet zal zijn.' Hij wreef met zijn duim over de stomp. Die begon net te genezen, maar toen Barakkas met zijn nagel over de nieuwe huid ging, sijpelde er zwart bloed tevoorschijn.

Ferrie kromp ineen.

'Ik ben geen moordenaar,' vervolgde het reusachtige wezen, met een woedende blik op Tabitha. 'Heb ik opgeroepen tot moord? Nee, ik ben de redelijkheid zelve, Ferrie Benjamin. Ik wil alleen dat alles weer góéd is. Dus... wil je me alsjeblieft teruggeven wat je me hebt afgenomen?'

Ferrie dacht na.

'Nee,' zei hij ten slotte.

Barakkas staarde hem aan, en plotseling werden zijn oranje ogen rood van woede. 'WAAG HET NIET NEE TEGEN ME TE ZEGGEN! NOOIT!' bulderde hij. Zijn stem was zo luid dat Ferries tanden en kiezen stonden te trillen in zijn kaken. Elke spier in het lichaam van Barakkas spande zich in razende woede, de klauwen van zijn enig overgebleven hand groeven diep in de palm, zodat de hand zich zwart kleurde van het bloed. Alle kleur verdween uit Ferries gezicht toen hij zich herinnerde waarvoor Max hem had gewaarschuwd – dat Barakkas oppervlakkig gezien heel kalm en redelijk leek, maar dat zijn drift legendarisch was.

'Het spijt me...' bracht hij hijgend uit.

Toen was Barakkas' woede plotseling weer verdwenen, even snel als die was opgekomen, als een onweer dat zo hevig was dat het slechts enkele ogenblikken kon duren. Hij haalde diep adem, en alle spanning leek uit zijn lichaam te stromen.

'Je hoeft je niet te verontschuldigen,' zei hij volmaakt kalm. 'Misschien begrijp je het belang van dit Artefact uit het Nedergindse niet, noch de omvang van je schuld aan mij.'

'Die begrijpt hij maar al te goed,' klonk een stem naast Ferrie. 'En hij heeft duidelijk nee gezegd.' Toen Ferrie zich omdraaide, zag hij dat gouverneur Driestenhope naast hem stond.

'Gouverneur?' zei Ferrie.

'Dag, Ferrie. Dag, Barakkas.'

En met die woorden gebaarde de gouverneur met haar hand, en de reusachtige poort die Ferrie had gecreëerd, viel dicht, zodat Barakkas' gehuil van woede werd afgesneden.

'Het is buitengewoon ernstig wat er is gebeurd. Dat voorspelt niet veel goeds,' zei de gouverneur later die avond in haar werkkamer, waar ze beraadslaagde met Max, Tabitha en Kneep. 'Ik had niet gedacht dat hij al zo snel zou teruggaan naar de burcht van Barakkas. Als de afweermechanismen van de Academie geen stand hadden gehouden, had het op een tragedie kunnen uitlopen. Nu weten we tenminste dat de Behoeder nog niets aan kracht heeft ingeboet.'

'Het ging allemaal zo snél,' zei Tabitha. 'Ik heb nog nooit meegemaakt dat iemand zo snel kracht wist te putten uit zijn angst. En hebt u de Snark gezien?'

De gouverneur knikte. 'Die jongen is uitzonderlijk machtig.'

'Precies, en daarom moet hij, zoals ik al eerder heb bepleit –' begon Kneep.

'Hij wordt níét Gereduceerd,' beet Max hem toe. 'Niet zolang ik dat nog kan tegenhouden.'

'Het punt van Reduceren zijn we allang voorbij,' zei de gouverneur geduldig. 'Er zijn krachten in beweging gezet die we weerwerk zullen moeten bieden. Laten we eens kijken wat we wéten. Barakkas wil de polsband terug. Dat bevestigt wat we al vermoedden, namelijk dat die band voor hem van groot belang is.'

'Hij beweerde dat er veel macht voor nodig is om hem onder controle te houden,' zei Tabitha. 'En hij noemde de polsband "een Artefact uit het Nedergindse".'

'Ja, er zijn vier Artefacten,' aldus de gouverneur. 'Elke Genaamde heeft er een. We weten niet precies welk doel ze dienen, maar als Barakkas er zo op gebrand is, moeten we ervoor zorgen dat hij het niet krijgt.'

'Waarom vraagt hij Ferrie om het hem terug te bezorgen?' vroeg Max.

'Omdat Ferrie de enige is die dat kán,' antwoordde Tabitha. 'Barakkas zei dat de armbeschermer voor Ferrie zou zwichten, en behalve de gouverneur is Ferrie de enige die sterk genoeg is om een poort naar de Binnencirkel te openen en hem de polsband te brengen. Hij heeft het nu al twee keer voor elkaar gekregen. Hoe vaker je een poort opent naar een gebied, hoe gemakkelijker het wordt. Dus het ligt voor de hand dat hij het weer doet wanneer hij onder druk komt te verkeren.'

‘Dat is absoluut waar,’ viel de gouverneur haar bij. ‘En daarom zullen we meneer Benjamin goed in de gaten moeten houden.’

‘Dat is krankzinnig,’ protesteerde Max. ‘Waarom zou Ferrie hem welbewust die polsband bezorgen?’

‘Omdat hij weliswaar ongelooflijk machtig is, maar hij is ook nog maar een jóngen,’ zei Kneep. ‘En bovendien een onzekere jongen. Hij is aangevallen en bespot door oudere studenten, hij voelde zich tijdens uw les voor gek gezet, en sinds zijn recente rampzalige verrichtingen met de Nedermagie is hij tot het besef gekomen dat hij altijd een buitenbeentje zal blijven, hoezeer hij ook zijn best doet om ergens bij te horen. Zo’n jongen is gemakkelijk te manipuleren.’

‘Daar heb je gelijk in,’ zei de gouverneur. ‘Maar toch denk ik niet... dat hij zich tegen ons zal keren. Zeker, hij voelt zich onzeker, alleen, maar daarom moeten we hem juist ons vertrouwen schenken en proberen als het ware zijn familie te worden.’

‘Als hij dat wil,’ waarschuwde Tabitha. ‘Tenslotte heeft hij al een familie.’

De blauwe ogen van de gouverneur werden plotseling groot. Ze sprong overeind. ‘Hij heeft al een familie!’ riep ze uit. ‘Kom mee. Er dreigt groot gevaar!’

‘Ik ben een bedreiging.’ Ferrie staarde nietsziend naar de muur van Violets hut, die vol hing met posters van beroemde fantasyschilderijen. ‘Ik kan het gewoon niet geloven! Dat ik nou toch wéér een poort naar de Binnencirkel heb geopend.’

‘Wat zeur je nou?’ vroeg Theodoor nijdig, terwijl hij uit alle macht probeerde een Snark van gedaante te doen veranderen. Het wezen zat zacht tjirpend op zijn schouder. ‘Ik zou er álles voor geven om zo'n poort te kunnen openen. Maar het lukt me niet eens die stomme Snark te transformeren.'

'Ik vind het echt ongelooflijk dat je er een hebt gestolen,' zei Violet.

'Ik heb hem niet gestolen!' antwoordde Theodoor. 'Ik heb hem geléénd.'

'Zonder het te vragen,' zei Violet. 'Dus dan is het stelen.'

'Hoor eens, hoe moet ik het ooit onder de knie krijgen als ik niet oefen?' verzuchtte Theodoor. 'Het is niet zo gemakkelijk als het lijkt. Echt niet. Ook al zou je dat wel denken als je ziet wat onze "poortenkoning" voor elkaar weet te krijgen.' Hij wees met zijn duim naar Ferrie. Toen sloot hij zijn ogen, hij vertrok zijn gezicht tot een grimas en riep: 'Vooruit, Theodoor. Bang worden! Ik wil dat je heel erg bang wordt!'

De Snark koerde zacht, zonder ook maar een sikkepitje te veranderen.

'Ik leer het nooit,' zei Theodoor kreunend.

'Omdat je probeert het te forceren,' zei Ferrie. 'Je moet doen wat je in de les Nedermagie hebt gedaan. Proberen een angst te vinden die écht is en je daarop concentreren.'

'Mijn grootste angst op dit moment is dat ik geen angst kan vinden.'

'Gebruik die dan,' zei Ferrie. 'Allemachtig, ik wou dat ik jouw probleem had. Behalve dat ik Barakkas bijna de kans had gegeven ons allemaal om zeep te helpen, raakte ik totaal verlamd toen ik de kans had hem uit de weg te ruimen.'

'Dat is niet waar,' zei Theodoor. 'Dat stinkende monster liet zich terugvallen in het Nedergindse, voordat je de kans kreeg hem te villen en te fileren. Bovendien is er geen moment sprake van geweest dat hij ons misschien om zeep zou helpen. Zodra hij probeerde de poort door te komen, sloeg hij tegen de grond en lag hij als een kotsende baby te spartelen... ook al heb ik geen idee waarom.'

'Dat komt door de plek waar we zijn, volgens mij,' zei Ferrie. 'Die is giftig voor schepselen uit het Nedergindse.'

'Als dat zo is, waarom hebben Xix of de Ectoschimmen dan nergens last van?' vroeg Violet.

'Die zitten in de Uitdrijfgrotten, ver van de Academie,' antwoordde Ferrie. 'Wat het ook is dat ons beschermt, ik geloof niet dat het zo ver reikt.'

'Maar het reikt wel tot híér,' zei Violet. 'En de Snark van Theo heeft ook nergens last van, zo te zien.' Ze gebaarde naar de Snark op Theodoors schouder. 'Terwijl hij ook uit het Nedergindse komt.'

'Ten eerste,' begon Theodore, 'wil ik niet dat je me óóit nog Theo noemt. Ten tweede...' Hij zweeg, dacht even na en keerde zich toen naar Ferrie. 'Ze heeft gelijk. Waarom heeft de Snark er geen last van?'

Ferrie haalde zijn schouders op. 'Misschien is de Snark niet sterk genoeg. Misschien wordt de invloed van de Academie groter, naarmate een schepsel machtiger is.' Hij zuchtte gefrustreerd. 'Er is zo veel wat ik niet weet. Ik weet niet eens hoevéél ik niet weet.'

'Herhaal dat tien keer, zo snel als je kunt,' zei Theodoor grijnzend.

Ferrie begon te lachen. Het was een heerlijk gevoel. Hij keek op naar de fantasyposters aan de andere muur. 'Ik geloof dat ik die het mooist vind.' Hij wees er een aan.

Op de poster was een kleine ridder te zien, gezeten op een werkpaard met een doorgezakte rug. In zijn hand hield de ridder een sjofele lans, en hij keek op naar een angstaanjagende draak die hoog boven hem uittorende. Zo hoog dat zijn snuit met een muil vol tanden bijna verdween in een wolk van gele rook.

De ridder zou in het onafwendbare gevecht geen schijn van kans maken. Dat was duidelijk.

'Ik ook.' Violet kwam naast hem staan. 'Hij is van Don Maitz. *Moed is Overwonnen Angst*. Ik heb geprobeerd daar kracht uit te putten, toen mijn moeder stierf. Want ik voelde me volledig verslagen, niet opgewassen tegen de draken om me heen.'

Ze zweeg even. Ferrie keek naar Theodoor, niet goed wetend wat hij moest zeggen. Theodoor wendde ongemakkelijk zijn blik af.

'Wat erg voor je, Violet,' zei Ferrie ten slotte. 'Dat moet verschrikkelijk zijn geweest.'

'Ach, het is al lang geleden,' zei Violet zacht. 'Ik denk dat ik het daarom zo leuk vind om draken te tekenen. Het zijn kwaadaardige monsters die je zomaar, vanuit het niets, kunnen aanvallen, maar hiermee...' – ze hield haar potlood omhoog – '... heb ik ze onder controle. Als ik teken, kan ik ze laten doen wat ík wil, en niet andersom.' Ze glimlachte. 'Ik ben heel vaak bang en eenzaam geweest.'

'Ik weet precies wat je bedoelt.' Ferrie beantwoordde haar glimlach.

'Ik ook,' viel Theodoor hen bij, heel zachtjes.

Plotseling besefte Ferrie dat hij het van meet af aan volledig bij het verkeerde eind had gehad. Hij had gedacht dat de Gave de band was die hij deelde met de andere studenten aan de Nachtmerrie Academie, maar dat bleek uiteindelijk niet zo te zijn. Wat hen verbond, was hun eenzaamheid.

'Laten we iets afspreken,' zei Violet ten slotte. 'Wij drieën. Laten we afspreken dat we elkaar altijd helpen. Wat er ook gebeurt. Dat niemand van ons er ooit alleen voor zal staan.'

Ze stak haar hand uit. Na een korte aarzeling legde Ferrie de zijne erin.

'Afgesproken!' zei hij.

'Afgesproken!' Theodoor legde zijn hand erbovenop. 'Trouwens, niet om het een of ander, maar ik denk dat ik die draak wel aan zou kunnen.' Hij gebaarde naar de poster.

'Daar twijfel ik niet aan.' Ferrie grijnsde.

Plotseling opende zich een poort in de kamer, en de gouverneur kwam binnenstormen. 'Je moet meteen meekomen,' zei ze tegen Ferrie. 'Ik ben bang dat er iets heel ergs is gebeurd. Bereid je voor, want het zal niet meevallen.'

Van de buitenkant leek het model c onaangeroerd.

Eenmaal binnen zag het er echter heel anders uit. Het behang hing als gescheurde lakens van de muren. Het tapijt was vernield en gedeeltelijk opgerold zodat de houten ondervloer zichtbaar was. De grond lag vol met glasscherven. De koelkast was omvergegooid, zodat de inhoud over de hele keuken verspreid lag: ketchup en augurken, vermengd met ansjovis en kapotte eieren, vormden samen een weerzinwekkende brij.

Het was geen plaats delict zoals Ferrie die uit films kende; het was een slagveld!

'Mijn ouders!' bracht hij ademloos uit, ontsteld om zich heen kijkend. 'Waar zijn ze?'

'Ze zijn ontvoerd!' De gouverneur draaide er niet omheen. 'Loop maar achter me aan.' Ze ging hem voor de trap op. Max, Tabitha en Kneep volgden een paar stappen achter hen. De versplinterde trapleuning zwaaide als een dronkelap heen en weer, glas knarste onder hun schoenen.

Ferrie zag de boodschap zodra hij zijn slaapkamer binnen kwam. Op het zachte schuim waarmee de muren waren bedekt, stond in simpele bewoordingen een dreigement:

GEEF HET ARTEFACT TERUG, ALS JE WILT DAT JE OUDERS BLIJVEN LEVEN.

De grote letters waren met een donkere, rode vloeistof op de muur gekalkt. Was het bloed, vroeg Ferrie zich geschokt af.

'Je ouders worden gebruikt om jou onder druk te zetten,' zei de gouverneur. 'Om je te dwingen de polsband terug te halen bij het Bureau Nachtmerries en hem naar Barakkas te brengen.'

'En wat gaan we daaraan doen?' vroeg Ferrie. 'Want we zullen iets moeten ondernemen.'

'Natuurlijk,' zei Max. 'We gaan naar je ouders op zoek en we brengen ze in veiligheid.'

'Hoe denk je dat te doen?' Ferrie besefte dat paniek hem volledig dreigde mee te sleuren. 'Misschien zijn ze al dood!'

'Probeer je angst onder controle te houden,' zei de gouverneur. 'Het laatste waar we op zitten te wachten, is dat je weer een poort openzet naar het hart van de Binnencirkel. We zijn hier niet tegen Barakkas beschermd.'

Ferrie haalde diep adem en deed zijn best zijn zenuwen in bedwang te houden, maar dat was bijna net zo ondoenlijk als op een oceaanstomer aan de rem trekken. 'U moet me beloven...' begon hij krampachtig. 'U moet me beloven dat alles goed komt.'

'Ik beloof je dat we zullen doen wat we kunnen!' antwoordde de gouverneur.

'Dat is niet hetzelfde!' zei Ferrie. 'Als u niet kunt beloven dat u ze kunt redden, dan moeten we doen wat Barakkas vraagt en hem de polsband teruggeven!'

'Geen sprake van!' zei Kneep prompt. 'Veel te gevaarlijk. Wat er ook gebeurt, dat Artefact blijft bij het Bureau Nachtmerries.'

'Ik ben bang dat Kneep gelijk heeft,' zei Max. 'Als Barakkas iets zo graag terugwil, is het veel te gevaarlijk om het hem inderdaad te geven.'

'Waar dient dat Artefact dan voor?' vroeg Ferrie.

'Om te beginnen stelt het de Genaamden in staat met elkaar te communiceren,' antwoordde Kneep. 'En dat kunnen we onder geen beding toestaan. Ongeacht de prijs die we ervoor moeten betalen.'

Ferrie wendde zich verdwaasd af. Herinneringen kwamen naar boven terwijl hij door de puinhopen van zijn huis liep. Aan een van de muren was met punaises een kleurwerkje opgehangen dat hij op zijn vijfde voor zijn moeder had gemaakt: een kalkoen voor Thanksgiving die hij om de omtrek van zijn hand had geschilderd. Hij kon de koude, slijmerige verf nog bijna voelen op zijn hand. Zijn moeder was die dag met hem mee naar school gegaan, om te helpen. Dat deed ze trouwens heel vaak, gewoon 'om zeker te weten dat alles in orde is'.

Maar nu was alles bepaald niet in orde.

Een vreemd wezen was zijn huis binnen gedrongen en had de mensen die hem het dierbaarst waren, meegenomen. Ongetwijfeld naar een akelig, angstaanjagend oord. En dat allemaal omdat hij een Gave bezat die hij niet onder controle kon houden.

Het was geen gave, het was een vloek! Hij wenste dat hij de Gave kon teruggeven.

Op de keukentafel lag een grote, bruine envelop, geadresseerd aan Ferrie Benjamin, per adres Bureau Nachtmerries. Het was een van de enveloppen die Kneep aan zijn ouders had gegeven, zodat ze met hem in contact konden blijven. Er zat iets in. Toen Ferrie de envelop leeghaalde, kwam er een zorgvuldig afgesloten zak met zelfgebakken chocolate chip cookies tevoorschijn. "We zijn erg trots op je en we houden van je. Mam", stond er op het begeleidende briefje.

En er zat nog iets in de envelop. Een foto, genomen op een achtbaan, de Goliath: Ferrie en zijn vader met hun armen hoog in de lucht, een grijns van opwinding op hun gezicht, terwijl ze ademloos uitkeken naar het moment waarop hun karretje zijn diepste snoekduik zou maken.

"De mannen Benjamin gaan dwars door hun angst heen!" had zijn vader er met zijn grillige handschrift onder geschreven. En daaronder: "Ik hou van je, knul. Pas goed op jezelf."

Toen kon Ferrie zich niet meer goedhouden. Hij begon te huilen.

'Hé, knul.' Max kwam naar hem toe. Ferrie veegde driftig zijn tranen weg. 'Ik weet dat het een harde klap is, maar we komen hierdoorheen. Dat beloof ik.'

'Maar dat kun je helemaal niet beloven!' zei Ferrie. 'We weten niet waar ze zijn. We weten niet wat ze met ze gaan doen. We weten helemaal niets! En het is allemaal mijn schuld.'

'Dat is waar,' gaf Max tot Ferries verrassing toe. 'Als jij de Gave niet had gehad, zou dit alles niet zijn gebeurd. Dus we kunnen twee dingen doen. Of we gaan bij de pakken neerzitten en kniezen hoe oneerlijk het leven toch is, of we kunnen de Gave gebrúíken om je ouders terug te krijgen.'

'Ik wil hem nooit meer gebruiken!' zei Ferrie. 'Ik wou dat ik was Gereduceerd, zoals iedereen wilde.'

'Nee, dát is nog eens een goed idee,' antwoordde Max. 'Laten we je onnozel maken en daarmee onze enige kans verspelen om je ouders veilig en wel weer thuis te krijgen.

Kom op! Laten we meteen naar het Bureau Nachtmerries gaan om die voorhoofdskwab te laten terugsnoeien. Je ouders zijn ten dode opgeschreven, maar wat kan jou het schelen dat ze dood zijn? Je bent zo onnozel dat je dat niet eens weet. Is dat wat je wilt?'

'Nee, natuurlijk niet,' moest Ferrie toegeven. Even bleef het stil. 'Grappig eigenlijk,' vervolgde hij, met een blik op de verbrijzelde restanten van het huis waarin hij was opgegroeid. 'Ik wilde hier altijd zo wanhopig graag weg, en ook weg van mijn ouders, omdat ik het gevoel had dat ze me dood zouden knuffelen. Maar nu... nu wil ik alleen maar weer bij ze zijn.'

'Ik weet hoe je je voelt,' zei Max. 'Mijn ouders waren net zo. Ze zijn inmiddels dood, maar toen ze nog leefden, maakten ze zich voortdurend zorgen over me. Echt om alles. Ik werd er knettergek van.'

'Hield je van je ouders?' vroeg Ferrie.

'Meer dan van wie of wat ook op de hele wereld. Soms, als het tegenzit, denk ik aan toen ik nog een kleine jongen was, met hoge koorts, en hoe mijn moeder dan haar hand op mijn voorhoofd legde. Dat voelde zo heerlijk koel.'

'Ik weet wat je bedoelt.'

'Mijn ouders zijn er niet meer,' zei Max simpel. 'Ze hebben deze wereld voorgoed achter zich gelaten. Het enige wat ik nog heb, zijn herinneringen. Maar jóúw ouders... We kunnen ze gaan zoeken, Ferrie. En ik weet zeker dat we ze vinden. Je moet gewoon vertrouwen in me hebben.'

'Dat heb ik,' zei Ferrie ten slotte. 'Heb je al een plan?'

'Natuurlijk heb ik een plan!' bulderde Max. 'Dacht je dat ik ooit iets doe zonder een zorgvuldig uitgewerkt plan?'

'Moet ik daar echt antwoord op geven?'

Max grijnsde. 'Je moet goed naar me luisteren. Het zal

niet gemakkelijk zijn. We zullen dingen moeten doen die... wreed, misschien zelfs luguber zijn.'

'Dat kan me niet schelen.'

'Je weet nog niet waar ik het over heb,' zei Max. 'Misschien kan het je dan wel schelen.'

'Nee,' zei Ferrie zonder aarzelen.

Max nam hem aandachtig op. 'Volgens mij meen je het nog ook. Akkoord, dit is het plan. We gaan eerst terug naar de Nachtmerrie Academie... en vandaar naar het Nedergindse.'

'Om wat te doen?'

'Om een bezoekje te brengen aan de Harpijen,' antwoordde Max. 'De Harpijen van de Leegte.'

Hoofdstuk 12

De Harpijen van de Leegte

'Hoelang gaat het duren?' vroeg professor Xix, terwijl hij met twee van zijn poten een oogsteel schoonmaakte.

'Dat weet ik niet precies,' antwoordde de gouverneur. 'Ik zou u alleen willen verzoeken hier in de Uitdrijfarena te blijven tot we terugkomen.'

'Ik begrijp niet waarom er een Nederjager bij deze operatie is betrokken.' Kneep snoof en kwam naar hen toe lopen. 'Wat heeft hij dat wij niet hebben?'

'Hij is geen mens,' zei Max. 'Onze bestemming in aanmerking genomen, zou dat wel eens handig kunnen zijn.'

'Sinds wanneer maken we ons afhankelijk van niet-menselijke wezens?'

'Sinds we hebben ontdekt dat ménselijke wezens zoals jij erg onaangenaam en onbetrouwbaar kunnen zijn,' reageerde Max nijdig.

'Kunnen we alstublieft eindelijk gaan?' vroeg Ferrie, die popelde van ongeduld om zijn ouders te gaan zoeken.

'Hij heeft gelijk,' zei professor Xix. 'Ik ben me terdege bewust van de zorgen van meneer Kneep over mijn bijdragen aan de Nachtmerrie Academie, maar die kunnen we op een later tijdstip bepreken.'

'Het gaat verder dan "zorgen"!' snauwde Kneep. 'Ik begrijp niet waarom we een vijand volledige toegang hebben verleend tot onze meest gekoesterde opleidingsfaciliteit.'

'Omdat ik hem vertrouw,' zei de gouverneur eenvoudig, terwijl ze haar gewaad gladstreek. 'Professor Xix vormt sinds jaren een trouwe en nuttige toevoeging aan onze familie, en als het gaat zoals ik hoop, dan zal dat nog jaren zo blijven.'

'Bovendien vind ik hem knap,' voegde Tabitha er met een glimlach aan toe. 'Ik heb altijd een zwak gehad voor donkere, geheimzinnige types.'

'Met vleierij krijg je alles voor elkaar,' zei Xix.

'Stuitend,' zei Kneep kreunend.

'Dank voor je positieve inbreng, Kneep. Zullen we dan maar?' zei de gouverneur.

Ze wuifde met haar hand, en er verscheen een poort in de uitgestrekte grot van de Uitdrijfarena. 'Ga je gang,' zei ze tegen de anderen. 'Maar hou je ogen en je oren wijd open. In de Leegte moet je altijd op je tellen passen.'

Ze stonden in een veld van een soort hoge, paarse rietstengels. Zo hoog, dat Ferrie er niet overheen kon kijken. De rietstengels waren bedekt met een dun laagje kristallen die gloeiden in het rode licht van de zuil van vuur rond de Binnencirkel, in de verte.

'We moeten heel voorzichtig zijn.' De gouverneur liep met haar lange benen voortvarend en toch lichtvoetig tussen de stelen door. 'Ze zien eruit als planten, maar het zijn haren. Buitengewoon tere haren, bovendien. Als er een breekt, dan... Nou ja, daar zitten we niet op te wachten.'

'Wat gebeurt er dan?' Ferrie zette een stap naar voren en trapte op de onderkant van een van de dikke, wuivende haren, zodat die bij de wortel afbrak.

'Tuurlijk! Echt geniaal!' verzuchtte Kneep.

Plotseling begonnen alle haren in het veld heftig te trillen, en er steeg een wolk van het kristalachtige stof op. De wolk werd uiteindelijk zo dik, dat Ferrie amper een hand voor ogen kon zien.

'Doe je ogen dicht!' riep Tabitha. 'En hou ze dicht. Anders word je verblind.'

Ferrie kneep zijn ogen stijf dicht, maar het leek wel alsof er gemalen glas in zat. Wrijven maakte het alleen maar erger. Hij probeerde de anderen te roepen, om te vragen wat hij moest doen, maar de woorden bleven steken in zijn keel, terwijl het gruwelijke stof zijn longen vulde en hem het spreken, zelfs het ademhalen, bijna onmogelijk maakte.

'Doe je shirt voor je neus en je mond!' riep Max ergens links van hem. 'Als een soort masker!'

Ferrie deed wat hij zei. Het hielp... maar niet veel.

Plotseling klonk er een gruwelijk gekrijs. Een geluid dat Ferrie nooit eerder had gehoord – een kruising tussen vechtende katten en nagels die langzaam over een schoolbord krasten.

'Wat is dat?' wist hij ten slotte uit te brengen.

'Dat zijn de Harpijen,' antwoordde de gouverneur. 'Ze komen eraan.'

'Wat moet ik doen?' schreeuwde Ferrie, in stijgende paniek.'Niets,' zei ze. 'Je moet je gewoon overgeven. Probeer vooral niet je te verzetten.'

Het gekrijs was nu zo luid, dat Ferrie het gevoel had alsof zijn hoofd zou exploderen. De lucht begon te trillen door het geklapper van honderden vleugels. Tenminste, zo klonk het. De stank van rotting en braaksel omringde hem, en plotseling werd hij door onzichtbare klauwen bij zijn schouders gegrepen; zo strak dat de nagels door zijn huid drongen. Hij werd ruw de lucht in getrokken en tuimelde in een misselijkmakend tempo om zijn as, als in een ritje met de krankzinnigste achtbaan ter wereld, omhooggehouden door schepselen die hij niet kon zien en waarvan hij zich zelfs geen voorstelling kon maken. Ten slotte lieten de klauwen hem los. Hij viel en belandde met een smak op een harde, stenen vloer.

Terwijl hij zich overeind werkte, merkte hij tot zijn verrassing dat hij huilde. De tranen stroomden over zijn gezicht. Van angst of van woede, vroeg hij zich af. Maar hij besefte al snel dat de tranen simpelweg een poging van zijn lichaam waren om het ellendige, vreemde, kristalachtige stof uit zijn ogen te spoelen.

Tot zijn verbazing had de poging succes. Na enkele ogenblikken begon de wereld om hem heen weer wazig zichtbaar te worden. Toen hij de tranen had weggeveegd, zag hij dat Max, Tabitha, Kneep en de gouverneur naast hem waren geland en allemaal hetzelfde deden. Ten slotte was zijn gezichtsvermogen voldoende hersteld om verder dan een klein eindje voor zich uit te kijken.

Maar wat hij zag, was verre van aangenaam.

Ze bevonden zich in de ruïne van een vervallen landgoed, gevuld met de schepselen die de gouverneur de 'Harpijen' had genoemd. Ze hadden inderdaad vaag iets vrouwelijks, voor zover monsters met een groene, gebarsten huid, draderig, paars haar en zwarte, geschubde vleugels op hun rug vrouwelijk konden worden genoemd. Hun mond was gevuld met een krankzinnig woud van tanden, stuk voor stuk tot vlijmscherpe punten geslepen. De baljurken die ze droegen, waren smerig en gerafeld. Ze stonken nog erger dan ze eruitzagen, en ze zagen er verschrikkelijk, stuitend, weerzinwekkend uit.

'Daarom is het beter... de stengels niet te breken,' wist Max ten slotte uit te brengen.

Ferries rapier van Uitdrijven-voor-Beginners, dat op zijn heup hing, begon staalblauw te glanzen en zacht te zoemen toen de Harpijen dichterbij kwamen.

'Breng ons naar de Koningin,' commandeerde de gouverneur, terwijl ze zich naar het dichtstbijzijnde schepsel keerde.

'Waarom zouden we?' vroeg de Harpij met raspende stem.

Het ging zo snel, dat het even duurde voordat Ferrie besefte wat er gebeurde. Toen bleek echter dat de Harpij binnen een halve tel was teruggebracht tot een berg stuiptrekkend vlees, met daaromheen een groeiende poel zwarte pus.

De gouverneur liet de lange metalen staf zakken die ze in haar hand hield, en veegde hem schoon aan de stinkende gewaden van de dode Harpij. In de staf waren runeachtige figuren gegraveerd, en hij verspreidde een verbijsterende, stralendblauwe gloed – veel vuriger dan Ferries rapier. Met een snelle polsbeweging zorgde de gouverneur dat de staf als een telescoop inschoof, tot hij amper dertig centimeter lang was.

'Wauw!' zei Ferrie.

Zonder acht op hem te slaan, liet de gouverneur de gekrompen staf in een plooi van haar gewaad verdwijnen. Toen keerde ze zich naar de volgende Harpij. 'Zo, en nu eens zien of ik bij jou meer geluk heb. Breng ons naar de Koningin!'

De Harpij aarzelde even, nam haar aandachtig op, maar draaide zich toen plotseling om en begon in de richting van een donkere gang te schuifelen. De overige Harpijen weken uiteen en maakten de weg voor hen vrij.

'Kom mee,' zei de gouverneur, en ze begon te lopen.

Ferrie en de anderen volgden.

De Koningin van de Harpijen was het meest weerzinwekkende schepsel dat Ferrie ooit had gezien. Toch vond ze zichzelf blijkbaar beeldschoon. Ze stond boven aan de ongetwijfeld ooit indrukwekkende, maar inmiddels ernstig in verval geraakte trap in de enorme balzaal die ze tot haar persoonlijke vertrek had gemaakt en bewonderde haar buitensporig lange, gekromde, zwarte nagels. Toen stak ze haar neus onder haar oksel en snoof genietend. Het gewaad dat ze droeg, en dat in staat van ontbinding verkeerde, was langer en smeriger dan de gewaden van de anderen, en ze was bijna een kop groter dan zelfs de langste Harpij in haar gevolg.

'Ik hoor dat u een van mijn vrouwen hebt gedood,' kraste ze, terwijl ze langzaam langs de trap naar beneden fladderde.

'Ja, erg jammer,' zei Max. 'Maar ze weigerde ons bij u te brengen, en we konden het niet verdragen om zelfs nog een ogenblik langer van uw schoonheid gescheiden te zijn.'

Daarop begon de Harpijenkoningin te lachen. Haar keelachtige stem was zo schel, dat de enkele nog resterende kristallen druppels van de kapotte luchters aan het plafond onheilspellend begonnen te rinkelen.

'U bent een flirt,' zei ze ten slotte.

'Absoluut niet. Gewoon een man die waardering heeft voor het... exotische,' antwoordde Max met een grijns.

'Onverbeterlijk. Wat brengt u zo dicht bij de dood?'

'We hebben een Schaduw nodig.' De gouverneur kwam naar voren.

'Een Schaduw!' De Harpijenkoningin leek te spinnen als een poes. 'Dat is een wel erg buitensporig verzoek. Voor wie?'

'Voor deze jongen.'

De Koningin keerde zich naar Ferrie en nam hem taxerend op, met haar ogen tot spleetjes geknepen. 'Een bijzonder kind, is het niet?'

'Gewoon een jongen,' antwoordde de gouverneur schouderophalend.

'Ach, is het heus? Dat is jammer. Want als hij denkt dat hij een Schaduw kan bemachtigen, dan zal hij toch écht bijzonder moeten zijn. Naar wie ben je op zoek, knaap?'

'Naar mijn ouders,' zei Ferrie met onvaste stem. Zelfs van een afstand rook hij haar stinkende adem. Hij moest zich beheersen om niet te kokhalzen.

'Aha, je ouders. Heerlijk! Werkelijk verrukkelijk!' Ze likte met een schokkend lange tong langs haar zwarte lippen. 'En wie zal dat betalen?'

'Ik,' zeiden Max en Tabitha in koor. Ze stapten naar voren.

'Ach, wat zijn jullie allemaal grétig.' De Harpijenkoningin fladderde naar Max, traag met haar grote, leerachtige vleugels klapperend. 'Maar ik denk dat ik de voorkeur geef aan betaling door dit sterke exemplaar van de mannelijke soort. Heb je iets smakelijks voor me?'

'Vast en zeker,' antwoordde Max, en hij huiverde onwillekeurig. Toen ze dat zag, sloot de Koningin haar ogen en glimlachte, genietend van zijn weerzin.

'Eens even denken,' zei ze. 'Als je een Schaduw wilt, zodat de jongen zíjn ouders kan vinden, dan wil ik als betaling' – ze deed haar ogen open en keek Max strak aan – 'jóúw ouders.'

Ze likte opnieuw langs haar zwarte lippen.

'Wat?' vroeg Ferrie verward. 'Maar dat kan helemaal niet. Zijn ouders zijn dood.'

De Harpijenkoningin lachte. 'Het kind heeft geen idee waar het ons om gaat. Waar we van léven.'

Ferrie keerde zich naar Max. 'Waar heeft ze het over?'

'Ze leven van herinneringen, knul,' zei Max zacht. 'Die zuigen ze uit je brein om zich eraan te goed te doen, en als ze klaar zijn, ben je je herinneringen kwijt.'

'Maar dat kun je toch niet doen!' Ferrie keek Max aan. 'Je herinneringen zijn het enige wat je nog hebt van je ouders.'

'Ik heb ook foto's,' zei Max. 'En wat brieven.'

'Maar dat is niet hetzelfde. Je zei dat je altijd aan je moeder dacht als het tegenzat; aan hoe ze voor je zorgde als je ziek was; aan haar koele hand op je voorhoofd. Dat is dan allemaal verdwenen.'

'Het geeft niet, knul,' zei Max met een bemoedigende glimlach. 'Niets is voor de eeuwigheid.'

'Nee!'

Max werkte zich langs hem heen en liep naar de Harpijenkoningin. 'Hoe eerder we het achter de rug hebben, hoe beter.'

Max werd omhuld door reusachtige, leerachtige vleugels, die hem tegen de borst drukten van het wezen dat hem zijn ouders ging afnemen. De Harpijenkoningin was ruim een halve meter langer dan hij, en hij voelde haar harde, geschubde lichaam tegen zijn rug. De stank die ze verspreidde, deed zijn ogen tranen.

'Lekker,' zei ze, en haar lange tong schoot uit haar mond, als de tong van een slang. Ze boog zich naar de zijkant van zijn hoofd en begon zijn oor te likken. Max voelde dat zijn maag in opstand kwam.

'Zeg maar dag tegen pappie en mammie!' kraste ze. Toen nam ze zijn oor tussen haar rottende lippen, en ze liet haar tong naar binnen glijden, glad als heet vet door een gootsteenputje. Max voelde die tong in zijn hoofd, terwijl hij zich door zijn hersens slingerde, naar de plek waar zijn herinneringen lagen opgeslagen. Ze dronk er gretig van, eerst van de meest recente – de herinneringen aan het sterfbed van zijn vader.

Zijn laatste woorden tegen Max: '...mijn grote, sterke zoon.'

Weg!

'Lekker,' mompelde ze opnieuw, en ze dronk nog gretiger.

Max die een dronk uitbracht op zijn ouders, toen die veertig jaar getrouwd waren.

Weg!

Het gezinsuitstapje, waarbij ze in kano's een snelstromende, schuimende rivier waren afgezakt en waarbij Max zijn moeder had geplaagd omdat ze het uitgilde als een klein meisje.

Weg!

Alle kerstvieringen en verjaardagen met cadeautjes en taarten en flonkerende versiering in de boom. De uitbundige blijdschap bij gewonnen rugbywedstrijden, de troostende omhelzingen na verloren partijen. De uren die ze hadden doorgebracht terwijl ze samen aan zijn modeltrein bouwden, het plezier om films waarnaar ze hadden gekeken, het verdriet toen ze Gus, hun hond, hadden moeten laten inslapen.

Allemaal weg!

Zelfs de koele hand op zijn gloeiende, koortsige voorhoofd was gretig opgedronken door een Harpij met een onlesbare dorst naar de vreugde en het verdriet van anderen. Toen ze klaar was, liet ze hem los, en ze likte haar lippen als iemand die uitgehongerd was en die eindelijk weer eens fatsoenlijk had gegeten.

'Heerlijk,' zei ze. 'Erg smakelijk. Allemaal lekkere hapjes.'

Max zakte in elkaar op de verbrijzelde tegels van de grote balzaal; Tabitha schoot haastig toe om te voorkomen dat hij viel.

'Is het voorbij?' wist hij uit te brengen.

'Ja,' zei ze.

'Wat wilde ze van me?'

'Je ouders.'

Max keek haar niet-begrijpend aan. 'Wie?' vroeg hij.

Ze hield hem stevig vast terwijl de Harpijenkoningin op haar sterke vleugels naar de gouverneur fladderde.

'Tevreden?' vroeg die.

'Het was me... het maaltje wel,' antwoordde de Koningin, huiverend van genot. 'U hebt uw kans op een Schaduw verdiend.'

'Ik eis dat de jongen wordt beschermd,' zei de gouverneur. 'We hebben een verschrikkelijke prijs betaald. Als ik ook maar enigszins het gevoel heb dat u vals spel speelt, dood ik iedereen hier, te beginnen met ú!'

'Ik dacht dat u me mooi vond,' kraste de Harpijenkoningin met een duistere glimlach.

'U bent walgelijk,' antwoordde de gouverneur. 'Maar ik verwacht dat u zich aan uw kant van de overeenkomst houdt.'

De Harpij keerde zich naar Ferrie, die nog stond te tollen op zijn benen van pure afschuw over wat er met Max was gebeurd. 'Kom mee, knaap,' zei ze. 'Dan breng ik je naar de Doolhof der Gorgonen.'

'Wat moet ik doen?' vroeg Ferrie aan de gouverneur.

'U moet met haar meegaan,' antwoordde die, plotseling weer formeel. 'Aan het eind van de Doolhof der Gorgonen ligt de Schaduw. Luister goed naar me, meneer Benjamin. Denk erom dat u niet rechtstreeks naar de Gorgonen kijkt. Want als u dat doet, verandert u in steen.'

Ferrie moest ineens denken aan het ongelukkige slachtoffer dat op een brancard door het Bureau Nachtmerries werd gereden, zijn huid hard en wit als marmer. Was het pas gisteren dat Ferrie zijn eerste bezoek aan het Bureau had gebracht? Het leek een mensenleven geleden!

'Ik zal voorzichtig zijn,' zei hij. 'Maar wat moet ik doen als ik de Schaduw vind?'

'Hij zal tot u spreken,' zei de gouverneur. 'Open uw mond om hem in u op te nemen. Hij doet de rest.'

Ferrie huiverde. *Open uw mond om hem in u op te nemen.* Hij kon zich nauwelijks iets weerzinwekkenders voorstellen.

'En, meneer Benjamin,' vervolgde de gouverneur. 'Hou altijd voor ogen, zelfs als de situatie hopeloos lijkt, u bent niet alléén!'

Ze hield zijn blik vast.

Ferrie knikte. 'Dat zal ik onthouden.' Terwijl hij naar de Harpijenkoningin liep, kwam hij langs Max, die nog altijd door Tabitha overeind werd gehouden.

'Het spijt me,' zei Ferrie. 'Als ik het had geweten... zou ik niet hebben gewild dat je zo veel opgaf.'

'Waar heb je het over?' vroeg Max.

Ferrie vond het bijna onverdraaglijk. Hij liep door en volgde de Harpijenkoningin de duisternis in.

De Doolhof der Gorgonen glinsterde stralend. De muren waren bedekt met kristallen die een vurige gloed verspreidden. Robijnrood, hemelsblauw, donker woudgroen, stuk voor stuk in alle denkbare schakeringen. De kleuren waren zo intens dat ze Ferrie bijna verblindden.

'Veel geluk, knaap,' zei de Harpijenkoningin tegen Ferrie. 'Hoewel, geluk alleen is niet genoeg. Ik weet bijna zeker dat je uiteindelijk onderdeel wordt van mijn verzameling "ornamenten", in mijn Doolhof der Gorgonen.' Ze begon te lachen, schel en doordringend.

Ferrie raapte al zijn moed bij elkaar. 'Waar kan ik de Schaduw vinden?' vroeg hij.

De Harpijenkoningin grijnsde. 'Je bent een brutaaltje. De gouverneur zegt dat je niet bijzonder bent. Maar ze liegt.' Ze sloeg haar reusachtige vleugels uit en vloog op. 'Je zult de Schaduw vinden aan het eind van het groen, knaap. Niet dat je zo ver zult komen.' Na die woorden vloog ze weg, Ferrie in een stinkende walm achterlatend.

Hij keerde zich naar de doolhof met zijn regenboog van kleuren en begon te lopen. De gladde, steile muren waren zo hoog, dat het ondenkbaar was eroverheen te kijken of zelfs erbovenop te klimmen om zich te oriënteren. Hij vroeg zich af hoe de Schaduw eruitzag en hoe die hem kon helpen zijn ouders terug te vinden. Zou hij hem teleporteren naar waar ze verborgen werden gehouden? Of zou hij hem naar hen toe brengen? Allerlei mogelijkheden gingen door zijn hoofd, terwijl hij zich een weg zocht door de doolhof – linksaf, rechtsaf, willekeurig zijn richting kiezend, voortdurend alert op een plek waar het groen overheerste. Dat had de Harpijenkoningin immers gezegd? Dat de Schaduw aan het eind van het groen was?

Hij kwam bij een driesprong en keek een voor een alle richtingen uit. De weg recht voor hem leek een voornamelijk rode gloed te verspreiden. Aan zijn linkerhand zag hij blauw schitteren, stralend als de zomerhemel. Aan zijn rechterhand overheerste het groen – donker en geheimzinnig, als de Smaragdgroene Stad uit *De Tovenaar van Oz*. Dus sloeg hij rechtsaf, liep een hoek om, en slaakte een kreet van schrik.

Voor hem stond een man met geheven zwaard, gehurkt, ineengedoken, zijn gezicht verstard in doodsangst. Hij was van steen – zuiver wit marmer dat het groenachtige licht weerkaatste. Toen Ferrie van de schrik was bekomen, bekeek hij de man wat nauwkeuriger. Dit was geen standbeeld, besefte hij. Dat was maar al te duidelijk door de ongelooflijke gedetailleerdheid. Ferrie kon elke porie op het gezicht van de man onderscheiden, elke haar van zijn baard was met verbijsterende precisie in steen weergegeven. En die blik van doodsangst en ontzetting... Ferrie kon er nauwelijks naar kijken, zo echt leek die blik, zo levend.

Maar toch leefde de man niet. Hij was veranderd in steen nadat hij naar een Gorgo had gekeken, en nu behoorde hij tot de permanente collectie 'ornamenten' in de doolhof van de Harpijenkoningin.

Maar hoe kan ik tegen de Gorgonen vechten als ik niet naar ze kan kijken, vroeg Ferrie zich af.

Voordat hij het antwoord op die vraag kon bedenken, hoorde hij de echo's van een gesis door de doolhof. Het was moeilijk te zeggen waar het geluid vandaan kwam. Van voor of van achter hem? Van links of van rechts? Of misschien wel van alle kanten. Terwijl Ferrie verderliep, werd het gesis steeds luider en duidelijker, tot hij uiteindelijk besefte waarvan het afkomstig was.

Slangen! Honderden, misschien wel duizenden slangen!

Koortsachtig nadenkend wat hem te doen stond, struikelde hij bijna over weer een beeld – een vrouw die op haar rug lag en in doodsangst naar iets boven haar keek. Het gruwelijke gesis werd zelfs nog luider en leek Ferries oren te vullen als een televisie zonder beeld, maar met het geluid op volle sterkte. De doolhof was inmiddels louter en alleen gehuld in tinten groen. Waar de Schaduw ook mocht zijn, Ferrie wist dat hij dichterbij kwam.

Hij keek naar rechts en ving tot zijn schrik een eerste glimp op van een Gorgo.

Het wezen bevond zich aan de andere kant van een doorzichtige, kristallijnen muur. Ferrie had het niet rechtstreeks onder ogen gekregen, en dat was zijn redding. De Gorgonen waren lange, mensachtige schepselen, net als de Harpijen. Anders dan zij hadden ze echter geen haar, maar slangen. Honderden slangen die een uitzinnig gesis produceerden.

De eerste Gorgo werd gevolgd door een tweede.

Toen nog een.

'Jongensvlees...' sisten de Gorgonen terwijl ze zijn geur opsnoven. 'Mals jongensvlees...'

Ze kwamen inmiddels van alle kanten, en Ferrie begon in paniek te raken. Hoe kon hij deze gruwel overleven? Hij was moederziel alleen!

Toen dacht hij aan wat de gouverneur had gezegd.

Je bent niet alleen.

Ferrie deed zijn ogen stijf dicht, strekte zijn rechterhand uit en probeerde, voor het eerst alleen, bewust een poort te openen. Terwijl het gesis van de Gorgonen luider werd, stelde hij zich de Uitdrijfarena voor. Het beeld stond hem levendig en helder voor de geest, en plotseling besefte hij dat alle plekken vanwaaruit of waarnaar hij ooit een poort had geopend, stralend in zijn geheugen waren gegrift – de zaal van de Hoge raad, het lokaal waar Nedermagie werd onderwezen, de burcht van Barakkas.

Hij concentreerde zich op de Uitdrijfarena.

Voor zijn geestesoog zag hij de uitgesleten stenen banken, en hij rook de zoete, stoffige geur van het poederachtige zand. Toen hij de bestemming duidelijk voor ogen had, concentreerde hij zich op de angst; zijn speciale, persoonlijke angst waarmee hij zijn vermogen als Nedermagiër het gemakkelijkst scheen te kunnen voeden.

Als ik dit doe, dacht hij, als ik de Schaduw vind en hem met me laat doen wat hij moet doen, ben ik nog meer een freak dan ik al was.

Hoewel hij de Gorgonen niet kon zien, kon hij ze wel horen en – dat was zelfs erger – hij kon ze rúíken. Ze roken naar aarde en rottende bladeren, als een koel, donker hol waarin slangen zich voor de hitte van de dag verborgen hielden.

Hun nabijheid maakte dat zijn maag in opstand kwam.

Steen voor steen, dacht hij, bouw ik een muur die me scheidt van de andere leerlingen. Uiteindelijk sluit ik mezelf volledig af. Dan ben ik onbereikbaar. En volslagen, moederziel alleen.

Alleen.

Dat was als het ware het wachtwoord.

Zoals een sleutel wordt omgedraaid in een slot, zo beheerste en kanaliseerde Ferrie zijn angst om een poort te openen naar de Uitdrijfarena terwijl de Gorgonen hem tot op een armlengte naderden. Daar stond professor Xix, geduldig wachtend op zijn acht reusachtige poten.

'Aha! Daar ben je,' zei hij opgewekt. 'Ik vroeg me al af wanneer je een beroep op me zou doen.'

'Kunt u me helpen?' vroeg Ferrie, met zijn ogen nog altijd stijf dicht.

'Ongetwijfeld.' Xix schatte razendsnel de situatie in. 'Gorgonen. Uitstekend. Ik was toch al van plan onze voorraad aan te vullen. Bij Gorgonenafweer is altijd wel een student die zo gek is om stiekem zijn ogen op een kiertje open te doen, hoe vaak ik ze ook waarschuw. Het slot van het liedje is dat ik de Gorgo moet onthoofden om de student weer tot leven te brengen. Dat slaat een enorm gat in mijn voorraad. Hou je ogen dicht, Ferrie. Totdat ik zeg dat je ze weer open mag doen.'

'Graag zelfs.' Ferrie kon zich op dat moment niet voorstellen dat hij zijn ogen óóit weer zou opendoen. Ook al kon hij niet zien wat er gebeurde, hij kon het wel hóren.

Behalve het hevige gekrijs van de Gorgonen was er een geluid als van een vislijn die werd uitgeworpen, gevolgd door een doffe dreun.

Hij wikkelt ze in spinnenzijde, besefte Ferrie met macabere verrukking.

Af en toe voelde hij stijve haren over zijn huid strijken. Dat waren de haren op de poten van Xix, besefte hij, terwijl het reusachtige schepsel in de weer was om te doen wat het moest doen. Ten slotte zweeg het gekrijs van de Gorgonen. Eindelijk, dacht Ferrie dankbaar.

'Doe je ogen maar weer open,' zei Xix.

Op zijn hoede deed Ferrie wat hij zei. Hij was omringd door kronkelende cocons van spinnenzijde. De Gorgonen waren volledig ingekapseld. Ferrie schatte dat het er wel twintig waren.

'Een mooie vangst,' zei Xix opgewekt. 'Daar heb ik voorlopig genoeg aan. Dat is een van de voordelen als je nietmenselijk bent. Het heeft op mij geen enkel effect als ik naar ze kijk.'

'Dank u wel,' wist Ferrie uit te brengen.

'Graag gedaan.' Xix hees de ingekapselde Gorgonen door de poort naar de Uitdrijfarena. 'Ik ruik er geen meer, dus de weg naar de Schaduw zou vrij moeten zijn. Je kunt de poort nu sluiten.'

'Oké,' zei Ferrie. Het kostte hem al zijn wilskracht om de poort naar de veiligheid te sluiten, zodat hij opnieuw opgesloten zat in het Nedergindse. Maar hij zette zijn tanden op elkaar, gebaarde met zijn hand en de poort viel dicht.

Opnieuw vervolgde hij zijn weg, dieper de doolhof in.

De groen kristallen muren schitterden zo vurig dat zijn ogen bijna zeer deden. Plotseling hoorde hij tot zijn schrik de stem van zijn moeder.

'Ferrie...' riep ze, ergens dieper de doolhof in. 'Ben je daar, lieverd?'

'Mam!' Ferrie versnelde zijn pas in de richting van het geluid. Ten slotte sloeg hij een hoek om, en hij zag zijn moeder staan, aan het eind van een doodlopende gang.

'Daar is hij!' riep ze uit. 'Eindelijk! Je hebt me gevonden.'

'Ben je het echt?' vroeg Ferrie ademloos. Hij wilde dolgraag naar haar toe rennen en haar om de hals vallen, maar ze kon toch niet echt zijn? Wat deed ze hier, aan het eind van de Doolhof der Gorgonen?

'Natuurlijk ben ik het echt,' zei ze. Toen gebeurde er iets vreemds. Er ging een huivering door haar heen, en ze verbleekte, bijna alsof ze was opgenomen door de zuil van donkere rook die zich kronkelend voor de gloeiende, smaragdgroene muur verhief. De rook begon vorm aan te nemen, en toen was het Ferries vader die daar stond.

'Hallo, zoon,' zei het ding dat eruitzag als zijn vader. 'Het zou zo heerlijk zijn als we weer allemaal samen waren.'

Ferrie liep langzaam naar de vreemde verschijning en strekte zijn hand uit om die aan te raken. Maar zijn vingers gingen er dwars doorheen, en de verschijning die eruitzag als zijn vader, werd onmiddellijk geabsorbeerd door de zuil van kolkende, zwarte rook.

'Bent u de Schaduw?' vroeg Ferrie.

Geen antwoord.

'Kunt u me helpen mijn ouders te vinden?'

Het kolkende, vormeloze ding bleef zwijgen.

Open uw mond om hem in u op te nemen. Hij doet de rest, had de gouverneur gezegd.

Ferrie deed zijn mond open.

Langzaam nam de donkere rook de vorm aan van een buis, een slang die zijn keel binnen ging. Hij was koud, en

Ferrie voelde hoe hij zich door zijn hele lichaam verspreidde en hoe de rokerige, duistere tentakels elke opening vulden – zijn hart, zijn longen, tot in zijn vingertoppen en zijn hielen.

Ten slotte verdween de kilte, alsof die er nooit was geweest. En de Schaduw, die enkele ogenblikken eerder nog wervelend voor hem had gestaan, was verdwenen.

Want de Schaduw huisde nu ín hem.

Hoofdstuk 13

De Schaduw als kompas

Na een paar mislukte pogingen slaagde Ferrie er ten slotte in een poort te openen naar de Uitdrijfarena. Daar trof hij tot zijn blijde verrassing Max, Tabitha, Kneep en de gouverneur aan, die al op hem stonden te wachten.

'Het is je gelukt!' Tabitha schreeuwde het bijna uit en sloeg haar armen stijf om hem heen. 'Is alles goed met je?'

'Ja hoor, prima. Waar is Professor Xix? Ik wil hem bedanken.'

'Ach, die is als een kind op kerstochtend,' zei Max. 'Hij is vertrokken om met zijn verse oogst Gorgonen te gaan spelen. Die zien we voorlopig niet, volgens mij.'

'Heb je de Schaduw gevonden?' vroeg de gouverneur.

Ferrie knikte.

'En heb je hem ingeslikt?'

Hij knikte weer. 'Hij was koud.'

'Ja, dat heb ik vaker gehoord. Zelf heb ik nooit een Schaduw in me gehad. Ze zijn buitengewoon zeldzaam en heel machtig.'

'Wat doen ze precies?' vroeg Ferrie.

De gouverneur glimlachte. 'Kom maar mee naar buiten. Dan zal ik het je laten zien.'

Na zo lang in het Nedergindse te zijn geweest, vond Ferrie het heerlijk de milde tropische bries op zijn gezicht te voelen. Genietend ademde hij de frisse lucht in, en hij voelde zich aangenaam warm worden, ook vanbinnen.

'Kijk eens waar de zon staat.' De gouverneur wees naar de westelijke hemel, recht achter hen, waar de zon laag boven de horizon stond. 'En kijk nu eens naar je schaduw.'

Ferrie keek voor zich, waar hij verwachtte zijn schaduw te zien. Maar hij zag hem niet! 'Hè? Hoe kan dat nou?'

'Kijk eens verder.'

Ferrie begon zich om te draaien, tot hij ontdekte dat zijn schaduw zich achter hem uitstrekte, naar de zon toe!

'Maar dat kan helemaal niet!' zei hij. 'Je schaduw kan niet naar de zon wijzen. Die moet juist de andere kant uit gaan.'

'Dat klopt,' antwoordde de gouverneur. 'Maar dit is niet je echte schaduw. Die is verdwenen en vervangen door deze Schaduw, en deze Schaduw wijst altijd in de richting van dat wat je het dierbaarst is – in dit geval je ouders. Op die manier leidt hij ons rechtstreeks naar ze toe.'

'Dat is geweldig!' riep Ferrie uit. 'Laten we meteen op weg gaan. Voordat het donker wordt.'

'Weet je zeker dat je er al klaar voor bent?' vroeg Tabitha. 'Je hebt nogal wat beproevingen doorstaan.'

'Maar de beproevingen van mijn ouders zijn vast en zeker nog veel erger!' Hij had geen idee wat ze precies moesten doormaken, maar hij twijfelde er niet aan of het was gruwelijk. Op z'n gunstigst.

'Akkoord,' zei de gouverneur. 'Je schaduw wijst naar het westen. Dus gaan we die kant uit en afhankelijk van wat de Schaduw ons vertelt, stellen we onze koers bij. Net zolang tot we je ouders hebben gevonden.' Ze gebaarde met haar hand en opende een poort. 'Daar gaan we!'

Na een snelle stop in een verlaten deel van het Nedergindse opende de gouverneur opnieuw een poort, terug naar de Aarde. Ze betraden een stoffig ravijn, begroeid met cactussen en hier en daar wat alsem. Een eindje verderop stond een vervallen piramide, omringd door ruïnes. Mannen te paard, met sombrero's op hun hoofd tegen de verzengende hitte, dreven een kudde vee tussen de afbrokkelende gebouwen door.

'We zijn hier in Mexico,' zei de gouverneur. 'Dat daar zijn de ruïnes van Cholula. Het was ooit een grote, indrukwekkende stad, tot Cortés de hele boel in puin legde. Ik dacht dat we misschien geluk zouden hebben en je ouders hier zouden vinden.' Ze keek neer naar de Schaduw. Die wees nog altijd naar het westen, recht naar de zon.

'Zo te zien zijn we nog niet ver genoeg,' zei Ferrie.

'Nee, je hebt gelijk,' viel de gouverneur hem bij. 'Kom, dan gaan we een eindje verderop.'

Na opnieuw een snelle terugkeer naar het Nedergindse opende de gouverneur weer een poort naar de Aarde, en ze betraden een strand met duizenden mensen die aan het surfen waren in de branding of onder parasols zaten of lagen. De hotels langs de kust waren zo hoog als wolkenkrabbers. De geuren van kokosolie, zonnebrand en de zilte zee waren overweldigend.

'Hoe gaat het?' vroeg Max aan een grote man met ontbloot bovenlijf die aan hun voeten zat, nippend van een roze drankje met een parasolletje erin.

'Eh... goed!' antwoordde hij, hen verbijsterd aanstarend.

'Welkom in Hawaï,' zei de gouverneur. 'Dit is het eiland Oahu. Het is hier veel te druk naar mijn smaak, maar ieder zijn meug. En, wat zegt de Schaduw?'

Ferrie keek naar beneden. 'We moeten zelfs nog verder naar het westen.'

'Oké. Zou jij een poort voor ons willen openen naar het Nedergindse?'

'Ik?' vroeg Ferrie geschrokken.

'Je bent Nedermagiër of je bent het niet.'

'Maar ik denk dat het een stuk sneller gaat als u het doet.' Ferrie keek ongemakkelijk om zich heen, naar de massa zonaanbidders.

'Natuurlijk gaat dat sneller,' zei de gouverneur. 'Daarom hoef ík ook niet meer te oefenen. Zet 'm op.'

'Oké.' Ferrie deed zijn ogen dicht, strekte zijn rechterarm en probeerde het gejoel en geschreeuw van de mensen op het strand buiten te sluiten. Maar dat viel niet mee.

'Wat doet dat joch?' De man aan hun voeten rolde zich op zijn zij, als een gestrande walrus.

'Hij probeert zich te concentreren,' fluisterde Tabitha. 'Maar dat gaat niet lukken als u vragen blijft stellen. Het openen van een poort is niet zo gemakkelijk als het lijkt.'

'O,' zei de walrus. 'Aha.'

'Ik weet niet of ik het kan,' zei Ferrie ten slotte. 'Want ik heb het gevoel alsof iedereen naar me kijkt!'

'Dat is ook zo,' fluisterde Tabitha in zijn oor. 'Daar moet je gebrúík van maken. Je moet je onzekerheid gebruiken om toegang te krijgen tot je angst.'

'Ik was al bang dat je zoiets zou zeggen,' antwoordde Ferrie. Maar hij volgde haar aanwijzingen op en stelde zich duizenden paren ogen voor, die allemaal naar die rare jongen op het strand keken, en die allemaal hoopten dat hij rampzalig zou mislukken...

Ironisch genoeg was het de angst om te falen die hem deed slagen. Paars vuur danste over hem heen, en plotseling opende zich met een zacht plofje een poort.

'Heel goed,' zei de gouverneur. 'Je maakt uitstekende vorderingen.'

'Nog een fijne dag verder,' zei Max allervriendelijkst tegen de verbijsterde man aan zijn voeten. Toen keerde hij samen met de rest van de groep terug naar het Nedergindse.

'Jakkes, Gremlins,' zei de gouverneur vol weerzin. Ze waren omringd door honderden en nog eens honderden van de piepende wezentjes, die hier net zo talrijk waren als mensen op het strand van Oahu. 'Kneep, heb je een mobiele telefoon bij je?'

'Natuurlijk. Maar die doet het hier niet.'

'Mag ik hem even?'

Kneep gaf haar zijn telefoon. 'Alstublieft. Maar zoals ik al zei, u hebt geen ontvangst tot we terug zijn in...'

Voordat hij zijn zin kon afmaken, gooide ze de mobiele telefoon zo ver mogelijk van zich af. De Gremlins stormden erachteraan, gefixeerd op de kleine hoeveelheid elektriciteit die de telefoon bevatte, vechtend als haaien om een stukje aas.

'Hé!' riep Kneep.

'Gremlins zijn net muggen,' zei de gouverneur. 'En net zo irritant. Nu hebben we tenminste rust. Althans, even.'

'Maar ik ben mijn telefoon kwijt,' mompelde Kneep.

Terwijl hij een mokkend gezicht trok, keerde Tabitha zich naar Ferrie. 'We zijn hier in de eerste ring. Waarom heb je uitgerekend deze plek in het Nedergindse uitgekozen?'

'Die heb ik niet echt uitgekozen.' Hij haalde zijn schouders op. 'Ik probeerde gewoon niet te diep te gaan... om niet bij de echt kwaadaardige wezens terecht te komen.'

'Je begint het al aardig onder controle te krijgen,' zei ze glimlachend. 'Dat is verbazingwekkend in zo'n korte tijd.'

'Ach, dat valt wel mee.' Ferrie bloosde van trots.

'Mag ik even?' Kneep deed een stap naar voren. 'Kunnen

we alsjeblieft weer vertrekken, voordat de Gremlins achter de rest van mijn elektronische apparatuur aan gaan?'

'Als je erop staat.' De gouverneur gebaarde met haar hand. Er verscheen een poort, en ze liepen erdoor.

Deze keer bleken ze in China te zijn, tot hun knieën in een rijstveld. Om hen heen waren boeren bezig rijst te oogsten. Ze merkten hun aanwezigheid nauwelijks op.

'Jakkes!' zei Tabitha. 'U had ons wel eens kunnen waarschuwen dat we nat zouden worden.'

'Je droogt wel weer op,' antwoordde de gouverneur. 'Hoe staat het met de Schaduw, meneer Benjamin?'

Ferrie keek om zich heen. 'Die wijst naar het zuiden,' zei hij. 'Dus ik neem aan dat we ver genoeg naar het westen zijn gereisd.'

'Mooi. We boeken vooruitgang.' Met een handgebaar opende de gouverneur een poort terug naar het Nedergindse, gevolgd door een poort waardoor ze in een drukke straat belandden, ergens in een stad. Een claxon toeterde blèrend.

'Aan de kant!' riep Max, en ze sprongen allemaal opzij. Net op tijd. Een bus scheurde rakelings langs hen heen.

'Aha, we zijn in Perth,' zei de gouverneur. 'Ik ben altijd dol op Australië geweest. Misschien omdat ik, als kind, altijd een kangoeroe als huisdier wilde. Ik stelde me voor dat hij me meenam in zijn buidel, veilig en geborgen, terwijl hij van hot naar her sprong. Ik zou hem Wippertje hebben genoemd.'

'Boeiend,' mompelde Max.

'Mopperpot,' plaagde de gouverneur.

'Neem me niet kwalijk, ik wil niet vervelend zijn...' Ferrie keek naar de Schaduw, die naar het noorden wees. 'Maar we zijn te ver gegaan.'

‘Dat is interessant,’ antwoordde de gouverneur. ‘Dus we zoeken een plek ten zuiden van China, maar ten noorden van Australië. Iemand enig idee?’

‘Daar is helemaal niks,’ zei Max. ‘Alleen oceaan, toch?’

‘Ja, als je de honderden eilanden plus heel Indonesië en de Filippijnen buiten beschouwing laat.’ De stem van Kneep droop van het sarcasme.

‘Nee maar, wat zijn we weer slim vandaag,’ zei Max. ‘Aardrijkskunde is nooit mijn sterkste kant geweest.’

‘En wat is dan wel je sterkste kant?’ vroeg Kneep hatelijk. ‘Het in elkaar slaan van Secondanten. Daar ben ik altijd erg goed in geweest.’

‘Wat ontzettend ongepast om zo gewelddadig te reageren!’ snauwde Kneep, maar voordat hij nog meer kon zeggen, ging Ferrie tussen hen in staan.

‘Kunnen we ons alsjeblieft concentreren op het vinden van mijn ouders?’ vroeg hij. ‘Ik weet zeker dat ze doodsbang zijn.’

‘Heel juist,’ viel de gouverneur hem bij. ‘We zijn op zoek naar een verlaten oord, misschien wel ergens onder de grond, verborgen voor het zicht.’

‘Misschien is het Borneo,’ opperde Tabitha. ‘Dat ligt in elk geval ver weg.’

‘Dat is zo,’ antwoordde de gouverneur. ‘Maar het is niet echt een dramátische locatie. Parasithio heeft altijd een voorkeur gehad voor het dramatische, het spectaculaire.’

‘De Krakatau!’ zei Ferrie plotseling. Ze keken hem allemaal aan. ‘Het zou de Krakatau kunnen zijn. Misschien worden ze gevangengehouden onder de vulkaan. Daar heeft mijn moeder me over verteld bij de aardrijkskundeles. De Krakatau ligt midden in zee, moeilijk bereikbaar, en een vulkaan lijkt me een buitengewoon dramatische locatie.’

'Absoluut!' riep de gouverneur. 'Ik weet zeker dat je gelijk hebt. Sterker nog, ik durf mijn leven erom te verwedden.'

'Nou, daar is uw kans!' Max wees nonchalant naar een grote vrachtwagen die in vliegende vaart op hen afstormde.

De gouverneur creëerde onmiddellijk een poort. Ze sprongen er allemaal tegelijk doorheen, terwijl de bestuurder van de vrachtwagen luid toeterend over de plek raasde waar ze even eerder nog hadden gestaan.

Zonder ook maar een moment te aarzelen, opende de gouverneur opnieuw een poort, waardoor ze het Nedergindse weer verlieten. Toen ze door de poort kwamen, stonden ze op de rand van de beroemdste vulkaan ter wereld. Een kudde berggeiten stoof verrast uiteen. Het enorme gat in het hart van de krater beneden hen leek zich eindeloos uit te strekken. Stoom steeg op uit openingen in het grijze vulkanische gesteente.

'De Krakatau,' zei de gouverneur. 'De laatste uitbarsting is inmiddels jaren geleden, maar dat wil niet zeggen dat hij slaapt. Waar wijst de Schaduw nu heen?'

'Recht naar beneden.' Ferrie gebaarde naar de Schaduw, die inderdaad naar het hart van de vulkaan, beneden hen, wees.

'Mooi,' antwoordde de gouverneur. 'We hebben de plek gevonden. Omdat we niet exact weten waar je ouders gevangen worden gehouden, zal ik achtereenvolgens een reeks poorten openen, naar de grotten onder de vulkaan. Denk erom, we gaan een poort pas dóór als we je vader en moeder aan de andere kant zien.'

'En dan?' vroeg Ferrie.

'Dan begint de pret,' zei Max met een grijns. 'Dan wordt het matten.'

'Zorg dat jullie er klaar voor zijn,' waarschuwde de gouverneur. 'Daar gaan we!'

Ze keerden terug naar het Nedergindse, waar de gouverneur haar eerste poort opende naar de grotten onder de Krakatau. Door de poort zagen ze een reusachtige gang, met de doorsnee van een spoortunnel, dwars door de vulkanische rots. Lava stroomde door een geul aan hun rechterhand en deed de Nederwezens die daar rondzwermden, baden in een harde, rode gloed. Ferrie zag tientallen Zilvertongen, allemaal van de Vierde en de Vijfde Categorie, evenals ettelijke Nederjagers, die haastig wegvluchtten voor het grillige licht.

'Allemachtig...' Tabitha deinsde achteruit. 'Het moeten er honderdduizenden zijn. Misschien wel een miljoen!'

'We hebben het wespennest gevonden,' zei Max. 'Dit is de uitvalsbasis van Parasithio. Hier verzamelt hij zijn leger.'

Zodra ze de geopende poort in de gaten kregen, kwamen de Nederwezens een voor een tot stilstand.

'Zie je je ouders al?' vroeg de gouverneur.

Ferrie keek gejaagd de gang in. 'Nee,' zei hij ten slotte.

'Dan gaan we verder.'

Terwijl de Nederschepselen op de geopende poort afstormden, sloot de gouverneur die haastig. Bijna onmiddellijk opende ze een volgende poort, naar een ander gedeelte van de grotten onder de Krakatau. 'Kijk vlug!' zei ze. 'Nu ze eenmaal alert zijn op onze aanwezigheid, moeten we snel zijn.'

Door de poort zag Ferrie een reusachtig meer van gloeiende lava. Rotsblokken dreven als korsten op het oppervlak. Het meer was zo uitgestrekt dat de honderden Nederwezens die erboven vlogen, nietige stippen leken. Het waren voornamelijk Harpijen, maar er waren ook andere wezens – monsters die Ferrie nooit eerder had gezien: enorme, mugachtige schepselen met krankzinnig lange snuiten, perfect geschikt om de huid te doorboren en de sappen uit het vlees daaronder te zuigen.

'Wauw!' zei Ferrie. 'Wat is het hier gróót!'

De wezens draaiden zich om, staarden naar de geopende poort... en vlogen eropaf.

'Meneer Benjamin!' De luide stem van de gouverneur deed Ferrie opschrikken uit zijn verdoving. 'Ziet u uw ouders?'

'Eh... nee.' Ferrie keek om zich heen.

'Dan gaan we verder.' Ze sloot de poort en opende een volgende.

Deze keer lag er een reusachtige grot, zo groot als een honkbalstadium, achter de poort. Lava borrelde uit de grond, vormde poelen en stroomde langs de ruwe muren in vurige stroompjes die eruitzagen als gloeiende aderen. Daardoor leek het alsof de grot leefde; alsof die een pulserend orgaan was, het daadwerkelijke hart van de vulkaan. De hitte deed de lucht beven, zodat de Nederwezens die door de donkerste uithoeken van de grot scharrelden en vlogen, slechts vaag zichtbaar waren.

'Kijk, daar!' Max wees.

En toen zag Ferrie hen. Zijn ouders werden gevangengehouden aan het eind van de enorme grot. Ze hingen aan het gewelf, stijf ingekapseld in cocons van Nederjagerzijde die alleen hun hoofd vrijlieten. Het had er alle schijn van dat ze bewusteloos waren.

'Mam! Pap!' riep Ferrie. De wezens in de grot verstarden en keerden zich naar hen toe.

'Tuurlijk!' sneerde Kneep.

'Kom mee!' riep de gouverneur. 'We hebben geen ogenblik te verliezen!' Ze sprong door de poort, gevolgd door de anderen.

De hitte van de lava sloeg Ferrie met de kracht van een moker in het gezicht. Onmiddellijk voelde hij dat de hitte al het vocht uit zijn huid en alle kracht uit zijn lichaam zoog, zoals een vampier het bloed uit zijn slachtoffers zuigt.

'Deze kant uit!' Max zette het op een rennen en nam de vurig glanzende lasso van zijn riem, over de kleinste lavapoelen springend, slalommend rond de grotere. Het was echter de gouverneur die Ferrie het meest verraste. Ze moest dik over de vijftig zijn, als ze Max en Tabitha als leerling had gehad, maar ze was verbijsterend snel. Als een jachtluipaard joeg ze door de grot, en ze sprong over de lavabronnen met de sierlijkheid van een gazelle.

Onder het rennen haalde ze de korte staf versierd met runen uit een plooi van haar stralend gekleurde gewaad. Het was de staf die ze eerder had gebruikt om een van de Harpijen in pulp te veranderen. Met een snelle polsbeweging schoof de staf als een telescoop naar beide kanten uit. Helder als een baken verspreidde hij een verbazingwekkende blauwe gloed, die dwars door de rokerige heiigheid sneed.

'Pas op!' riep Kneep.

Ferrie draaide zich om en zag van weerskanten Nederjagers op zich afkomen. 'Ze zijn van de Vijfde Categorie!' riep hij, razendsnel het aantal oogstelen tellend die obsceen op hun kop wuifden.

Max draaide zich om en met een bijna bovenmenselijke soepelheid slingerde hij zijn lasso in de richting van het dichtstbijzijnde monster. Het touw wikkelde zich strak om de twee voorste poten van het schepsel, zodat het viel en op zijn rug belandde, waardoor de tere oogstelen binnen bereik kwamen.

'Hak ze af!' schreeuwde Max naar Ferrie. 'Gebruik je rapier!'

Bijna automatisch trok Ferrie zijn rapier. Hij haalde uit naar de kop van het gevangen schepsel en hakte in één vloeiende beweging de vijf oogstelen af.

De Nederjager krabbelde krijsend overeind en strompelde weg, maar omdat hij niet meer kon zien, liep hij in een poel lava, waarin hij rokend en brandend ten onder ging.

'Goed gedaan, knul!' zei Max. 'Nou de rest van het stel! Het zijn er maar een paar honderdduizend!'

De gouverneur maakte ondertussen korte metten met de Nederjagers die haar belaagden. Haar metalen staf draaide en wentelde als het snijblad van een blender. Het ging allemaal zo snel, dat Ferrie nauwelijks kon onderscheiden wat er gebeurde, maar het resultaat was een berg verwrongen en verminkte Nederjagers in haar ziedende kielzog. Zwarte pus spoot als een fontein omhoog. De lange, borstelige haren waarmee de wezens waren bedekt, vlogen alle kanten uit.

'Wauw,' mompelde Ferrie, vervuld van ontzag.

'Zeg dat wel,' zei Max. 'Ze is te gek, hè?'

'Kijk!' Kneep keek nerveus om zich heen naar de nog steeds toestromende Nederwezens. 'Ze komen van alle kanten!'

'Laat ze maar komen,' grauwde Max.

Ook al leek Max vol vertrouwen, toch begon Ferrie zich ernstig zorgen te maken. Ze konden een aantal van de wezens doden – misschien zelfs een heleboel – maar zeker niet allemaal. Honderden monsters kwamen van alle kanten op hen af, als zwarte, kolkende wolken. Sommige vlogen, sommige draafden, sommige glibberden, maar ze kwamen allemaal met verbijsterende snelheid aanstormen.

'Tabitha, open een poort!' commandeerde de gouverneur

terwijl ze het hoofd van een Zuurspuwer in tweeën spleet. 'Het zijn er te veel. We moeten ons terugtrekken.'

'Maar mijn ouders dan?' riep Ferrie.

'Het komt goed, knul,' riep Max terug. 'Dood kunnen we niks meer voor ze doen.'

Toen hoorden ze de lach.

Laag... diep... een oergeluid. Het was de lach van een duister wezen, zo duister en woest, dat het al bij voorbaat genoot van het naderende bloedbad!

Ferrie draaide zich om en zag een reusachtig monster op zes lange, knokige poten op hen afkomen. Net als de meeste schepselen uit het Nedergindse was ook dit wezen een obscene vervorming van een bekende diersoort – in dit geval een krab. Zijn twee enorme klauwen gingen met een verbijsterend geratel open en dicht. Ze staken uit een benig, blauw, schotelvormig lijf, bijna zo groot als een honkbalveld. Uit de diepe krochten van dat lijf stak een kop als een waterspuwer op een lange, buigzame nek. De rode ogen knipperden geen moment.

'Welkom, gouverneur,' zei het monster grijnzend, opnieuw luid met zijn klauwen klapperend.

'Hallo, Parasithio.'

Hoofdstuk 14

Parasithio de Bedrieger

'Verdwijn!' commandeerde Parasithio, zich naar de schepselen van het Nedergindse kerend. Ze deinsden haastig achteruit, wegvluchtend voor het lavalicht, en zochten een goed heenkomen in de duisternis daarachter.

'Dus hier heb je je de afgelopen twintig jaar verborgen gehouden,' zei de gouverneur. 'Knus.'

'Ach, het is draaglijk, ook al is het niet half zo comfortabel als ik gewend was.'

'Waarom ga je dan niet terug naar je paleis in het Nedergindse?' vroeg de gouverneur met een glimlach. 'Ik wil je met alle plezier een lift geven.'

'Daar twijfel ik niet aan,' zei Parasithio. 'Helaas vereist mijn werk mijn aanwezigheid op Aarde. Heb je de polsband van Barakkas bij je?'

De polsband!

Ferrie zag ineens dat Parasithio om zijn nek een zwart metalen band droeg waarin rode figuren waren gegraveerd, identiek aan de figuren op de polsband van Barakkas. Bestond er een verwantschap tussen de twee banden? Was dit een van de andere Artefacten van het Nedergindse waarover Barakkas het had gehad?

'Ik zou niet weten waar je het over hebt,' zei de gouverneur poeslief.

‘O, gaan we dát spelletje spelen.’ Parasithio slaakte een zucht. ‘Jammer. Het zou leuk zijn geweest om die jongen zijn ouders lévend terug te geven.’

‘Denk je nou echt dat ik dat geloof? Dat je ze in leven zou hebben gelaten als hij je die polsband had gebracht?’

‘Natuurlijk.’

De gouverneur glimlachte. ‘Ja, je bent tenslotte de betrouwbaarheid zelve. Trouwens, wat moet jij met de polsband van Barakkas? Het bestaat niet dat jij daar iets aan hebt.’

‘Ik wil hem voor hem in bewaring houden.’

‘Waarom? Verwacht je dat het hem lukt naar de Aarde te komen?’

‘Uiteindelijk wel ja. Als de tijd er rijp voor is,’ antwoordde Parasithio nonchalant. ‘Dan sluit hij zich bij ons aan.’

‘Ik zou wel eens willen weten hoe je je dat voorstelt. Hij is volkomen geïsoleerd in het Nedergindse, en we zijn niet van plan ooit een poort voor hem te openen.’

‘Als ik me goed herinner was je dat met mij ook niet van plan,’ zei Parasithio. ‘En toch ben ik hier. Dankzij Edward.’ Het schepsel keerde zijn machtige kop naar Kneep, die doodsbleek werd. ‘Leuk je weer eens te zien, Edward. Je bent gegroeid.’

‘Het is al heel lang geleden,’ wist Kneep uit te brengen. Hij zag eruit alsof hij elk moment kon flauwvallen.

‘Wat?’ vroeg Ferrie verbijsterd. ‘Heeft Knéép ervoor gezorgd dat je hierheen kon komen?’

‘Reken maar.’ Parasithio kwam op zijn zes reusachtige poten langzaam op het groepje af. ‘Ik denk dat hij ongeveer net zo oud was als jij nu. Klopt dat, Edward?’

‘Ja.’ Kneep deinsde achteruit.

‘Zijn Gave was heel sterk. Hij was ongelooflijk machtig. Een “Dubbele-Dreiging” heet dat, geloof ik. Wij hier in het Nedergindse – die jullie de "Genaamden" noemen – sloegen zijn groei met grote belangstelling gade... net als de jouwe, kleine Nedermagiër.'

Ferrie slikte krampachtig.

'Geen stap verder, Parasithio,' waarschuwde Max. Hij trok zijn korte zwaard en bracht zijn lasso opnieuw in gereedheid. 'Dwing me niet om krabsalade van je te maken.'

'Ai, ik zou bijna bang voor je worden.' Parasithio gebaarde minachtend met een van zijn machtige klauwen, maar het ontging Ferrie niet dat het reusachtige monster bleef staan.

'Kneep heeft in zijn jeugd inderdaad grote fouten gemaakt,' moest de gouverneur toegeven. 'Maar daar heeft hij een monsterlijke, onvergeeflijke prijs voor betaald.'

'Wat is er gebeurd?' vroeg Ferrie.

'Ik ben Gereduceerd,' zei Kneep heel zacht, bijna fluisterend. 'Directeur Kwastermans – de directeur vóór Schemergoed – noemde me "een gruwel, een monster dat moest worden getemd".'

Ineens begreep Ferrie alles. Kneep was de Gave niet kwijtgeraakt, die was hem afgenomen. Hij was een van de machtigsten geweest – een Dubbele-Dreiging, net als Ferrie en de gouverneur – maar, anders dan bij hen was Kneep de Gave op een wrede manier ontnomen toen hij nog maar een kind was.

Geen wonder dat hij altijd zo narrig deed.

Wat moest hij zich eenzaam voelen, dacht Ferrie. En ongelukkig, omringd door mensen met de Gave, terwijl hij zelf ooit een van de machtigsten van allemaal was geweest.

'Ach, nee toch.' De stem van Parasithio droop van het gespeelde medeleven. 'Ze hebben een doorsnee sterveling van je gemaakt, Edward! Waar of niet? Een zwakkeling. Wat kunnen de machtigen toch diep zinken!'

'Omdat jij tegen me had gelogen!' Kneep kon zich niet langer beheersen. 'Je zou me helpen om wraak te nemen op iedereen die me het leven zuur maakte. En ik geloofde je!'

'Ach, een jongen en zijn krab,' zei Max. 'Wat een prachtig verhaal!'

'En jij was een van de ergsten!' Kneep keerde zich naar Max. 'Jij hebt me altijd getreiterd en gesard, Maximus. Al sinds we A'tjes waren.'

'Omdat je het verdiende,' beet Max hem toe.

'Waarom?' vroeg Kneep. 'Wat heb ik gedaan, waardoor je me zo ging haten? Waardoor jullie me allemáál zo haatten?'

'We hebben je nooit gehaat,' antwoordde Max. 'We vonden je gewoon niet aardig. Dat is iets anders.'

'Spreek namens jezelf,' zei Tabitha. 'Ik heb nooit gemeen tegen je gedaan, Edward. Ik ben altijd aardig tegen je geweest.'

'Omdat je je daardoor ver boven me verheven voelde,' snauwde hij. '"Geef die rare freak van een Kneep af en toe een kruimeltje aardigheid. Dan komt hij vanzelf om meer bedelen, als een hond."'

'Hou op,' zei Max. 'Je probeert de geschiedenis te herschrijven, maar dat zal je niet lukken. Je was arrogant en achterbaks. Je wilde nooit iets met ons te maken hebben, omdat je jezelf stukken beter vond dan ons.'

'Nee, dat is niet waar,' zei Kneep zacht. 'Dat dáchten jullie, omdat ik altijd alleen was. En dat kwam omdat er verder niemand was die begreep wat ik doormaakte.'

Dus ik ben niet de enige, dacht Ferrie.

'Ik voelde me zo geïsoleerd,' vervolgde Kneep. 'Ik heb er nooit om gevraagd anders te zijn of extra machtig. Ik wilde gewoon hetzelfde zijn als iedereen.'

'En dat ben je nu,' zei Parasithio vilein.

Zijn woorden waren als een dolkstoot in het hart. Even bleef het doodstil, toen verbrak Kneep het zwijgen.

'Ja, dat ben ik nu. En ik neem de verantwoordelijkheid voor mijn eigen aandeel daarin. Ik heb grove fouten gemaakt. Ik voelde me zo verloren en alleen, dat ik ben weggelopen van de Nachtmerrie Academie en een poort opende naar huis. En toen gebeurde het.'

'Je had een poort geopend naar de Binnencirkel, hè?' vroeg Ferrie zacht.

Kneep knikte. 'Naar het paleis van Parasithio. Het ging per ongeluk.'

'O, reken maar dat Ferrie precíés weet hoe zoiets kan gebeuren.' Parasithio klapte zijn monsterlijke klauwen dicht, met een geluid als van een zweepslag.

'Hij begon op me in te praten,' vervolgde Kneep. 'En hij beloofde me van alles... Dingen die hij voor me zou doen als ik hem hielp om naar de Aarde te komen.'

'En dát heb je gedaan, waar of niet?' De stem van Parasithio klonk zacht, verleidelijk. 'Ach, wat was je sterk!'

'Wat gebeurde er toen hij eenmaal de poort door was?' vroeg Ferrie.

'Het werd een slachtpartij,' zei Max met enigszins onvaste stem. 'Parasithio doodde iedereen in het huis en zelfs in de hele stad. Iedereen... behalve Kneep.'

'Waarom heb je me laten leven?' vroeg Kneep kreunend. 'Je hebt mijn ouders voor mijn ogen vermoord. Je had mij ook moeten doden.'

'En je je verrukkelijke lijden ontzeggen?'

'Hou je kop, Parasithio,' gromde Max. 'Je hebt meer dan genoeg gedaan.'

'Ik?' antwoordde Parasithio. 'Zullen we het eens over jóú hebben? Een bom gaat niet uit zichzelf af. Iemand moet de lont aansteken. En dat heb jij gedaan, door Edward zo te sarren en te treiteren. De bom ging af toen hij mij naar jullie wereld haalde. Dus je bent net zo verantwoordelijk voor wat er is gebeurd als hij.'

Max leek ineens kleiner te worden. Hij deed wankelend een stap naar achteren. Het was voor het eerst dat Ferrie hem zonder zijn gebruikelijke zelfverzekerdheid zag. 'Je hebt gelijk,' zei hij ten slotte. Toen keerde hij zich naar Kneep. 'Het spijt me, Edward. Ik heb nooit geweten hoe verschrikkelijk je onder me hebt geleden. Ik was een kind, net als jij. Ik dacht dat je me niet aardig vond. Daardoor voelde ik me in de verdediging gedrongen en ging ik uiteindelijk in de aanval.' Hij keek Kneep recht in de ogen. 'Dat was verkeerd. Het spijt me. Dat meen ik.'

'Mij ook,' viel Tabitha hem bij.

Kneep knikte. 'Bedankt, allebei.'

'Ach, wat ontroerend...' zei Parasithio. 'Ik zou er bijna van gaan huilen.'

'Jij smerige...' Max kwam naar voren.

'Zo is het genoeg!' riep de gouverneur. 'Ga liever een strijd aan die je kunt wínnen, Maximus.'

Zijn leigrijze ogen hielden haar blik vast, maar ten slotte deed hij weer een stap naar achteren. De gouverneur keerde zich naar Parasithio. 'Het is waar dat Kneep je jaren geleden onze wereld binnen heeft gelaten. Maar na die eerste gruwelen heb je je merkwaardig stilgehouden. Ben je soms niet zo'n grote bedreiging als we dachten?'

'Eens komt het moment waarop je mijn woede ontketend zult zien.'

'Maar dat moment is nog niet aangebroken?'

'Het zal niet lang meer duren.' Op zijn krabbenpoten liep Parasithio zijdelings naar Ferries ouders, die boven poelen borrelende lava waren opgehangen. 'Wakker worden, kleintjes!' Hij tikte met een reusachtige klauw op de cocons.

Langzaam deden Olga en Wunibald hun ogen open.

'Ferrie?' bracht Olga schor uit bij het zien van haar zoon. 'Rustig maar, mam. We komen jullie redden.'

'Nee... je moet vluchten!' kraste zijn vader. 'Het is hier... verschríkkelijk.'

'Maak je geen zorgen,' zei Ferrie. 'We brengen jullie naar huis.'

'O, is dat zo?' Parasithio sloeg zijn reusachtige klauwen om Ferries ouders.

'Wat dóé je?' bracht Ferrie ademloos uit. Zonder erbij na te denken begon hij te rennen, recht op Parasithio af.

'Stop!' De gouverneur versperde hem de weg.

'Maar... mijn vader en mijn moeder! Hij maakt ze dood!'

'Nee, dat doet hij niet,' stelde ze hem gerust. 'Ze zijn het enige wapen dat hij heeft om jou onder druk te zetten. En hij heeft je nodig omdat –'

Ze zweeg abrupt en staarde naar Ferries voeten.

Er klopte iets niet!

Ze kon er niet de vinger op leggen, maar het had te maken met de vulkanische rots waarop Ferrie stond. Daar was iets vreemds mee... En het had te maken met de reden waarom Parasithio hem nodig had...

'Hij heeft ons bedrogen!' riep ze plotseling.

'Zeg maar dag tegen pappie en mammie,' zei Parasithio grinnikend, en met een snelle, scharende beweging van zijn gruwelijke klauwen sneed hij Olga en Wunibald in tweeën!

'Neeeeeee!' riep Ferrie toen de lichamen van zijn ouders in de borrelende lava vielen.

De gouverneur riep iets naar hem, in een wanhopige poging hem iets duidelijk te maken, maar Ferrie verstond geen woord van wat ze zei. Overweldigd door de gruwelijkheid van het moment deinsde hij achteruit. Het duizelde hem. Hij dacht dat hij gek zou worden.

Is het echt gebeurd? Zijn mijn ouders dood?

'Nee...' bracht hij opnieuw ademloos uit, en hij liet zich op zijn knieën vallen.

Zijn ouders waren gruwelijk vermoord, vóór zijn ogen.

Hij was helemaal alleen.

Om hem heen klonken nu ook andere stemmen. Tabitha en Max – zelfs Kneep – zeiden iets tegen hem, maar de woorden gingen verloren in de paniekaanval die als een vloedgolf over hem heen spoelde en hem meesleurde naar ijzige, koude diepten. De stroming was te sterk om zich ertegen te verzetten. Tabitha, Max, Kneep, de gouverneur... Ze bleven steeds verder achter.

Ik ben helemaal alleen... Voorgoed alleen...

En op dat moment opende hij de poort.

Het was niet zijn bedoeling, hij probéérde het niet eens, maar door de wrede gruweldaad waarvan hij getuige was geweest, kon hij zich niet meer inhouden. De poort was enorm, oneindig veel groter dan de poort die hij in de zaal van de Hoge Raad had geopend, en reikte bijna tot de stalactieten aan het gewelf van de reusachtige grot. Het paarse vuur dat de poort omhulde was zo stralend, zo vurig dat de vlammen eruitzagen als zonnevlekken die over een vreemde, buitenaardse zon dansten.

Max, Kneep, Tabitha en de gouverneur staakten hun geroep en staarden ernaar, vervuld van ontzag.

Toen... kwam er iets monsterlijks door de poort.

Barakkas!

'Welkom op Aarde,' zei Parasithio glimlachend.

'Het werd tijd.' Terwijl Barakkas naar hen toe kwam, sloegen zijn reusachtige hoeven de vonken uit de vulkanische rots. 'En dat heb ik allemaal te danken aan mijn goede vriend, Ferrie Benjamin.'

Hij keerde zich grijnzend naar Ferrie.

'O nee, wat heb ik gedaan?' fluisterde die.
Toen werd alles zwart voor zijn ogen.

Ferrie voelde iets koels op zijn voorhoofd.

Toen hij zijn ogen opendeed, zag hij dat hij in bed lag in de ziekenboeg. Mama Roos stond naast hem en bette zijn gezicht met een natte doek. Olielampen verspreidden een zachte, warme gloed. Door de ronde patrijspoortramen zag Ferrie een volle maan opkomen aan de tropische nachthemel.

Hij was weer in de Nachtmerrie Academie.

'Hij is wakker,' zei Mama Roos. Toen keerde ze zich naar Ferrie. 'Denk erom dat je me niet weer zo laat schrikken. Toen je werd binnengebracht, was je zo wit als een doek. Alsjeblieft! Opdrinken!'

Ze gaf hem een kop hete, dampende vloeistof. Hij nam een slok en begon meteen te kokhalzen.

'Gadver! Wat smaakt dat smerig!' Hij was helemaal schor van de rook en de hitte in het hol van Parasithio.

'Ik heb je niet gevraagd hoe je het vónd!' zei Mama Roos nijdig. 'Het kan me niet schelen of je het wel of niet lekker vindt. Je moet het gewoon opdrinken. Dan krijg je weer kleur op je wangen. Ik kom straks kijken of je het ophebt.'

Met die woorden slofte ze de deur uit, langs Tabitha, die Ferrie een bijna moederlijke glimlach schonk.

'Hoe voel je je?' vroeg ze.

'Wel goed, geloof ik.' Ferrie zette de mok neer. 'Wat is er gebeurd?'

'Je bedoelt, nadat je bent flauwgevallen?' Max stapte grijnzend uit de schaduwen naar voren.

'Ben ik flauwgevallen?'

'Als een baksteen. Normaliter zou ik dat iets voor meisjes hebben gevonden, maar gezien de omstandigheden kan ik het je niet echt kwalijk nemen. Trouwens, de eerlijkheid gebiedt me te zeggen dat wij niet veel dapperder waren. Toen Barakkas op ons afkwam, opende de gouverneur razendsnel een poort, we grepen jou bij je kladden en we vlogen er als een stel opgeschrikte kippen doorheen. Het was op het nippertje, maar we hebben het gehaald.'

'Niet allemaal,' zei Ferrie zacht. 'Mijn ouders...'

'Die léven nog,' klonk een andere stem.

Ferrie draaide zich om en zag de gouverneur via een poort de ziekenzaal binnen komen. 'Dat probeerde ik je te vertellen, maar je was al te ver heen om me nog te horen.'

'Ze leven nog? Maar hoe kan dat dan?' Ferrie ging rechtop in bed zitten. 'Parasithio heeft ze in tweeën gesneden! Het bestaat niet dat ze dat hebben overleefd.'

'Dat klopt. Als dat inderdaad je ouders waren geweest.'

'Maar ik heb toch gezien –'

'Wat hij wílde dat je zou zien,' zei de gouverneur. 'Ik geloofde het aanvankelijk ook, tot ik de Schaduw aan je voeten zag. Die wees niet naar je ouders – of naar wat we dáchten dat je ouders waren – maar naar rechts. Het duurde even voordat ik begreep wat dat betekende.'

'Dus het waren mijn ouders helemaal niet!' Ineens begreep Ferrie het. 'Dat waren Imitanten.'

'Precies. Je ouders werden ergens anders gevangengehouden. Niet in de centrale grot.'

'Dus ze leven nog?'

'Ja,' zei de gouverneur. 'Helaas hebben we ze niet kunnen redden.'

'Allemachtig, we hebben onszélf amper weten te redden. Het scheelde echt maar zo'n beetje!' Max hield zijn duim en zijn wijsvinger een haarbreedte uit elkaar.

'Maar als Parasithio mijn ouders helemaal niet wilde doden, waarom deed hij dan alsof?'

'Omdat hij wist dat je door zo'n traumatische ervaring in paniek zou raken,' legde Tabitha geduldig uit. 'En dat je dan een poort zou openen.'

Ferrie was verbijsterd. 'Dus het was allemaal bedoeld om Barakkas door te laten naar de Aarde?'

De gouverneur knikte. 'We zijn bedrogen. Het was een valstrik, bedoeld om je in een positie te brengen waarin je hem wel móést doorlaten, of je wilde of niet. Parasithio heeft Barakkas nodig. Waarom, daar ben ik nog niet achter. En dit was de enige manier om Barakkas ongedeerd naar de Aarde te krijgen.'

'En hoe zit het met die polsband?' vroeg Ferrie. 'Willen ze die nog?'

'Nou en of.' De gouverneur kwam naar het bed. 'En volgens mij zullen ze alles in het werk stellen om hem terug te krijgen. De polsband speelt een bepaalde rol in hun plannen die wij nog niet helemaal begrijpen.' Ze schudde met een ernstig gezicht haar hoofd. 'Ik zal eerlijk tegen je zijn. De dingen zijn van kwaad naar erger gegaan. Je ouders verkeren nog altijd in groot gevaar, en wij zien ons niet alleen geconfronteerd met de dreiging van Parasithio maar ook van Barakkas. Bij het Bureau Nachtmerries zullen ze razend zijn.'

'Ja, dat kan ik me voorstellen,' zei Ferrie.

'Er is echter één lichtpuntje. Je ouders zijn in gevaar, maar ze leven nog. Bovendien heeft Parasithio zich blootgegeven. We weten nu waar hij zich verborgen houdt, en we hebben een duidelijker inzicht in de omvang van zijn voorbereidingen.'

'Zijn voorbereidingen op wat?'

'Op de oorlog.' Max haakte zijn duimen door de lussen van zijn broekband. 'De oorlog tussen de Nederwezens en de mensheid. Parasithio is druk bezig geweest een leger op de been te brengen... en hij is van plan ons aan te vallen.'

'Waarom?'

'Omdat hij ons haat,' antwoordde Max. 'Alle Genaamden haten ons. Want ze willen niet in het Nedergindse leven, knul. Ze willen hierheen, om winkelcentra uit elkaar te scheuren en huizen plat te walsen. De Aarde is een speeltuin voor ze, en ze weten dat zij de grootste kinderen in de zandbak zullen zijn. Maar om hier te komen hebben ze ons en onze nachtmerries nodig, en daarom haten ze ons!'

'Maar als ze ons nodig hebben, waarom willen ze ons dan uitmoorden?' vroeg Ferrie.

'Wanneer de Nederwezens eenmaal aanvallen, zullen de wereldwijde gruwelen die ze veroorzaken, tot nog meer nachtmerries leiden...' antwoordde de gouverneur.

'En meer nachtmerries, dat betekent meer poorten.' Ferrie begon het te begrijpen. 'En dan kunnen er nog meer Nederwezens naar de Aarde komen om ons aan te vallen.'

'Precies,' zei de gouverneur. 'Dat noemen we "het sneeuwbaleffect".'

'Wat gaan we daartegen doen?' vroeg Ferrie zacht.

'Niets.' Tabitha streek het haar uit zijn gezicht. 'Tenminste, voorlopig. Die oorlog is geen kwestie van vandaag of morgen. We hebben nog wel even de tijd.'

'Wíj wel,' zei Ferrie. 'Maar mijn ouders niet. We moeten terug om ze te redden.'

'Dit wil je misschien liever niet horen,' zei de gouverneur voorzichtig. 'Maar we zullen eerst goed na moeten denken voordat we weer in actie komen. De volgende keer dat we naar hen op zoek gaan, moeten we beter voorbereid zijn. Want het is verre van ondenkbaar dat ze inmiddels naar elders zijn overgebracht.'

'U wilt toch niet zeggen dat we ze aan hun lot overlaten?'

'Voorlopig wel, ja.'

'Maar dat kan toch niet!' Ferrie sprong uit bed. 'Stel je voor dat we te laat komen! Dat ze al dood zijn!'

'Zoals ik al zei, het is oorlog, en in een oorlog vallen doden. Ik hoop oprecht dat we je ouders kunnen redden, maar je moet rekening houden met de mogelijkheid dat we daar niet in slagen.'

'We moeten het in elk geval proberen!'

'En dat doen we ook, zodra we voldoende zijn voorbereid,' vervolgde de gouverneur, nu iets strenger. 'Je bent niet de enige die heeft geleden. Anderen in deze kamer hebben heel veel opgegeven om je ouders althans een káns te geven.'

Ze gebaarde met haar hoofd naar Max.

'Dat heb ik nooit gewild,' zei Ferrie zacht. 'Ik heb er nooit om gevraagd dat je zo veel zou opgeven.'

'Maak je niet druk, knul,' zei Max. 'Ik weet niet eens meer wát ik heb opgegeven.' Het was bedoeld als troost, maar Ferrie had het gevoel alsof er een mes in zijn hart werd gestoken.

'We zullen doen wat we kunnen, en wannéér we dat kunnen,' vervolgde de gouverneur. 'Voorlopig moet je zorgen dat je uitrust en weer op krachten komt. Trouwens, er zijn nog meer mensen die je willen zien.'

Ze deed de deur van de ziekenboeg open, en Theodoor en Violet kwamen binnenstormen.

'Is alles goed met hem?' vroeg Violet.

'Vraag het hem zelf maar,' antwoordde Max, terwijl hij samen met Tabitha en de gouverneur de deur uit liep, zodat de drie kinderen alleen achterbleven.

'We hebben alles gehoord!' Theodoor kwam haastig naar Ferries bed. 'Het hol van Parasithio! Overal Nederwezens! Geweldig! Wauw, wat is dat cool!'

'Dat is helemaal niet cool,' mopperde Violet. 'We hebben zo in angst gezeten.'

'Ik heb het allemaal overleefd,' zei Ferrie. 'Maar ik heb het ook goed verknald.'

'Ja, dat hebben we gehoord. Iedereen heeft het erover,' viel Theodoor hem bij.

Violet schopte hem hard tegen zijn schenen.

'Au! Ik bedoel... Dat horen we hier en daar. Je snapt wel dat wij het daar niet mee eens zijn. Ik ben ervan overtuigd dat het niet echt jouw schuld is.'

'Nou en of wel,' zei Ferrie. 'Het is allemaal mijn schuld... en dus moet ik het ook weer goedmaken.'

'Jij?' vroeg Violet ongelovig. 'Hoe kun je zoiets in 's hemelsnaam in je eentje goedmaken? Het is bepaald niet niks waar we het over hebben.'

'Ik dacht eigenlijk dat ik het niet alleen zou hoeven te doen.' Ferrie keek hen een voor een aan. 'Ik hoopte dat jullie me zouden willen helpen.'

Theodoor en Violet keken elkaar aan.

'Waarmee?' vroeg Theodoor.

'Met mijn ouders terugkrijgen.'

'Maar die zijn toch in het hol van Parasithio?'

'Ja.' Ferrie knikte. 'Hoewel, formeel gesproken is het nu het hol van Parasithio en Barakkas.'

'Even voor alle duidelijkheid,' zei Violet. 'Je wilt dat wij, drie A'tjes, naar het hol van de twee meest gezochte schepselen uit het Nedergindse gaan om je ouders te redden? Iets wat je al vergeefs hebt geprobeerd met de gouverneur en twee van onze professoren? En toen hadden jullie nog maar met één van de Genaamden te maken!'

'Precies,' zei Ferrie. 'Maar eerst moeten we de polsband van Barakkas nog stelen bij het Bureau Nachtmerries.'

'Wát?' Violet boog zich naar voren. 'Versta ik dat nou goed? Zei je dat je van plan bent het Bureau Nachtmerries te bestelen?'

'Dat zal wel moeten, willen we ook maar enige kans van slagen hebben.'

'Weet je wat jij bent? Hartstikke getikt!' zei ze nijdig.

'Hoor eens,' begon Ferrie. 'We hebben beloofd dat we elkaar zouden helpen, en ik besef dat dit... Nou ja, dat dit wel heel erg ver gaat.'

'Om het maar voorzichtig uit te drukken,' zei Violet.

'Dus als jullie niet willen, heb ik er álle begrip voor. Maar als jullie me wel willen helpen... dan zou ik die hulp goed kunnen gebruiken.'

Ze staarden hem ongelovig aan.

'Ongehoord!' zei Theodoor ten slotte. 'Totale verdoemenis, geen hoop op overleven, gegarandeerde ondergang.' Hij grijnsde breed. 'Ik doe mee. Absoluut.'

'Jullie zijn allebéí hartstikke getikt!' riep Violet.

'Kom op,' hoonde Theodoor. 'Het kan best leuk worden.'

'Nee, het kan níét leuk worden. Een verschrikkelijke mislukking, dat wordt het. Hij heeft niet eens een plan.'

'Nou, om je de waarheid te zeggen heb ik wel een soort plan,' zei Ferrie.

'Een sóórt plan?'

'Nou ja... Ik heb natuurlijk nog niet alle onderdelen helemaal uitgewerkt.'

Violet schudde ongelovig haar hoofd. 'Waarom vraag je niet gewoon aan de gouverneur of ze je wil helpen?'

'Dat heb ik gedaan,' zei Ferrie zacht. 'Maar dat wil ze niet.'

'Omdat ze weet dat het een krankzinnige onderneming is. Het kan gewoon niet! We hebben geen idee waar we aan beginnen. We zijn nog maar studenten!'

'En dat is precies de reden waarom ik jullie nodig heb. Om mijn plan tot een succes te maken, moeten Barakkas en Parasithio denken dat we het helemaal alleen doen. Een stel onnozele kinderen die veel te veel hooi op hun vork hebben genomen.'

'Maar dat zijn we ook!' riep Violet. 'Tenminste, dat zouden we zijn als we met jouw plan in zee gingen. Stelen van het Bureau Nachtmerries? Besef je wel dat ze ons Reduceren als we worden betrapt?'

Ferrie knikte. 'Ja, dat ligt voor de hand. De risico's zijn... enorm. Sterker nog, als jullie mij zouden vragen hetzelfde voor jullie te doen... Nou, dan denk ik eerlijk gezegd niet dat ik het lef zou hebben.'

Hij probeerde de juiste woorden te vinden om Violet over de streep te trekken. Hij kon echter niets bedenken, dus besloot hij maar gewoon eerlijk te zijn.

'Mijn hele leven lang hebben mijn ouders me beschermd tegen mensen die me maar een freak vonden. En dat waren er een heleboel. Nu is het mijn beurt om mijn ouders in bescherming te nemen. Ik moet gewoon... doen wat ik kan. Zo simpel is het. Maar ik begrijp het als jullie het niet begrijpen.'

Theodoor keerde zich naar Violet. 'Kom op! Doe je mee?' vroeg hij.

Ze schudde ongelovig haar hoofd. 'Dit is belachelijk. Idioot. Er zijn gewoon geen woorden voor...'

'Doe je méé?' drong Theodoor aan.

'O... oké, goed dan! Ik doe mee!'

Ferrie glimlachte, zich koesterend in de kameraadschap van zijn eerste echte vrienden.

'Mooi. Dan kunnen we beginnen!'

Deel drie

IN HET HOL VAN DE LEEUW

Hoofdstuk 15

Diefstal in het Bureau Nachtmerries

Een warme nachtbries ritselde door de bladeren van de reusachtige banyanboom die de Nachtmerrie Academie herbergde. Af en toe, wanneer de wind de machtige takken bewoog, gluurde de maan ertussendoor en viel haar zachte schijnsel op Ferrie, Violet en Tabitha terwijl ze over de touwbrug liepen die de ziekenboeg verbond met het doormidden gebroken Britse oorlogsschip waarin de Secondanten sliepen.

'Ik weet zeker dat ik Birgit gisteren met een gameboy zag spelen,' zei Theodoor. 'Is dat raar of is dat raar?'

'Hoezo? Waarom is dat raar?' vroeg Violet. 'Misschien houdt ze gewoon van videospelletjes.'

Theodoor produceerde een lage zoemtoon. 'Unnngg-ghhh. Dat antwoord kan ik niet goed rekenen! Als meisjes daarin geïnteresseerd waren, zou het niet een gameбóy heten!' Hij glimlachte triomfantelijk.

'Je bent echt serieus gestoord, weet je dat?' snauwde Violet. 'Meisjes vinden videospelletjes net zo leuk als jongens. Wat ik niet begrijp, is waarom we dat ding zo nodig moeten stelen.'

'Lokaas,' zei Ferrie zonder het nader uit te leggen. 'Kom op. En zachtjes. We zijn er bijna.'

Ze lieten de brug achter zich en kwamen bij het slaapverblijf van de Secondanten. Ferrie keek door het ronde raampje in de deur naar binnen. Alles was donker. Niets bewoog.

'Zo te zien slapen ze allemaal. Ik ga naar binnen om te zien of ik hem kan vinden. Jullie houden hierbuiten de wacht.'

'Ik ga mee naar binnen,' fluisterde Theodoor. 'Als het misgaat en het wordt vechten, heb je me hard nodig.'

'Als het vechten wordt, is hij dan niet beter af met een Uitdrijver?' vroeg Violet nadrukkelijk.

'We hebben het niet over een gevecht tegen Nederwezens,' wees Theodoor haar terecht. 'Als het matten wordt, gaat het tussen mensen. Gewoon een eerlijke knokpartij. En daarvoor heeft hij een geoliede vechtmachine nodig. Mij dus.'

'Er wordt niet gevochten,' zei Ferrie. 'Ik glip gewoon naar binnen, steel dat ding en glip weer naar buiten. Eitje. Jullie blijven allebei hier, om te kijken of er niemand aankomt.'

De planken van de vloer kraakten onheilspellend terwijl Ferrie door het slaapverblijf van de Secondanten liep en in alle hutten keek. Op de tweede verdieping vond hij ten slotte de hut van Birgit Brongers. Hij sloop naar binnen. Ze sliep. Haar hangmat zwaaide licht heen en weer, een zachte bries woei door de open ramen. Zelfs in haar slaap was ze zo prachtig, dat hij nauwelijks kon geloven dat dit hetzelfde meisje was dat zo akelig tegen hem had gedaan.

Hij begon door haar spullen te rommelen, op zoek naar de gameboy. Hij zat niet in de zak van haar broek, die ze onverschillig op de grond had laten vallen. Vervolgens keerde Ferrie zich naar de klerenkast. De deur piepte zacht toen hij hem opendeed.

Birgit bewoog in haar slaap. Ferrie verstijfde.

'...kan er niets aan doen,' mompelde ze rusteloos. 'Hou op, of ik val...'

Ferrie besefte dat ze een nachtmerrie had. Gehaast doorzocht hij de bovenste la van haar klerenkast. Niets. Hij controleerde de andere laden.

Ook niets.

'...niet duwen...' mompelde Birgit, die hoe langer hoe onrustiger werd. '...niks om me aan vast te houden...'

Ferrie keek om zich heen in de kleine hut, niet wetend waar hij nog meer moest zoeken. Waar kon ze dat ding hebben verstopt? Toen zag hij ineens een vierkante bult in het kussen onder haar hoofd – duidelijk zichtbaar aan de onderkant van de hangmat. Hij haalde diep adem en liet zijn hand in het kussensloop glijden. Birgit draaide en woelde terwijl haar nachtmerrie steeds angstaanjagender werd.

'...sla te pletter op de rotsen...' Haar ademhaling ging zwaar. 'Help! Hou ze tegen!'

'Rustig maar,' fluisterde Ferrie, in een poging haar te kalmeren. 'Het komt allemaal goed. Er is niks aan de hand.'

'Nee!' riep Birgit in haar slaap. 'Help, ik ga dood!'

Het is maar goed dat ze de Gave niet meer heeft, dacht Ferrie. Anders zou ze ter plekke een poort naar het Nedergindse hebben geopend...

En op dat moment opende zich een poort in de hut.

O nee, dacht Ferrie. Ze heeft nog iets van de Gave, zonder dat ze het weet!

Voordat hij de poort kon sluiten, kwam er een schepsel uit het Nedergindse doorheen gevlogen. Ferrie kende de soort, maar wist niet hoe die heette. Het was een mugachtig wezen, zoals ze in het hol van Parasithio boven het lavameer hadden gefladderd. Gelukkig was dit exemplaar niet zo groot – misschien van de Eerste of de Tweede Categorie – maar de lange, naaldachtige snuit vormde toch nog altijd een serieuze bedreiging.

Ineens bleef het schepsel stilhangen, het maakte rechtsomkeert en schoot als een pijl uit een boog naar de nog altijd openstaande poort, gretig om terug te keren naar het Nedergindse.

Het heeft pijn, besefte Ferrie, en hij herinnerde zich het effect dat de Nachtmerrie Academie op Barakkas had gehad. Weliswaar tijdelijk, maar vernietigend. Daarvan was in dit geval geen sprake, maar Ferrie kwam tot de conclusie dat zijn eerdere veronderstelling juist was geweest, namelijk dat de Academie sterkere Nederwezens ernstiger aantastte dan zwakkere. Hoe dan ook, dit kleine schepsel voelde zich duidelijk niet prettig.

Plotseling klapte de vurige poort dicht, even snel als hij was verschenen. De Nedermug, zoals Ferrie hem in gedachten had gedoopt, zat gevangen in de kleine hut. Hij vloog boos zoemend heen en weer, op en neer, fladderde met zijn lange, dooraderde vleugels tegen de muren en probeerde wanhopig een uitweg te vinden.

'Sst,' siste Ferrie. Net op het moment dat zijn vingers zich om de gameboy in Birgits kussensloop sloten, kwam de uitzinnig rondvliegende Nedermug als een miniatuurbommenwerper op hem af. Met een vloeiende beweging trok Ferrie zijn rapier. Toen hij de aanval pareerde door uit te halen naar de angelachtige snuit van het wezen, klonk er een metaalachtig, galmend geluid. *Doinnnnggg!* De Nedermug produceerde een woedend gezoem en vloog op, ongetwijfeld met de bedoeling opnieuw aan te vallen.

'W-wat is er aan de hand?' Birgit deed haar ogen open.

'Je had een nachtmerrie, en toen heb je een poort geopend. Daar is dat schepsel doorheen gekomen.' Ferrie hief opnieuw zijn rapier.

Als een vlieg achter een raam klapperde de Nedermug driftig met zijn vleugels tegen het plafond van de hut. Toen zette hij zijn tweede duikvlucht in. Ferrie dook weg, draaide zich om en viel het wezen van achteren aan, waarbij hij met het blauw glanzende rapier een punt van de rechtervleugel wist af te snijden.

'Hé!' Birgit sprong uit haar hangmat, inmiddels klaarwakker. 'Wat doe jij hier? Je bent geen Secondant!'

'Dat doet er nu niet toe. Help me liever met die ellendige mug!'

Toen ontdekte Birgit haar gameboy in Ferries hand. 'Dief dat je bent!' riep ze uit. 'Geef terug!'

De Nedermug viel opnieuw aan. Hij miste Ferrie, maar boorde zijn naaldachtige snuit in Birgits schouder.

'Au!' gilde ze, terwijl de mug zich met zijn kleverige insectenpoten aan haar rug vastklampte en met verontrustende snelheid bloed begon te zuigen. Ze draaide luid schreeuwend in het rond en botste tegen de muren, waarop Theodoor en Violet kwamen binnenstormen, gevolgd door diverse Secondanten die wakker waren geworden van het geluid.

'Wat is er aan de hand?' vroeg Violet.

'Wat denk je?' snauwde Ferrie, opnieuw uithalend naar het kwaadaardige wezen uit het Nedergindse. 'Birgit, sta stil! Zo kan ik hem niet raken!'

'Het doet pijn!' jammerde ze. 'Help! Doe iets!'

'Ik hou haar wel vast.' Theodoor haakte zijn been achter dat van Birgit en werkte haar tegen de grond. De vleugels van de Nedermug fladderden in een razend tempo tegen zijn gezicht. 'Maak hem dood! Vooruit, schiet op!' riep hij.

'Ik doe het wel!' Violet trok de dolk die aan haar riem

hing. Maar voordat ze kon toesteken, zwiepte er een blauw gloeiende lasso door de hut. Het touw slingerde zich rond de Nedermug, die op slag dood was toen de lasso werd aangetrokken.

Ze draaiden zich allemaal om. Max stond in de deuropening.

'Wat is hier in vredesnaam aan de hand?' vroeg hij.

'Eh...' stamelde Ferrie. 'We wilden gewoon...'

'Mijn gameboy stelen!' riep Birgit, terwijl ze de angel van het gedode wezen uit haar schouder trok. 'En volgens mij heeft hij een poort geopend en dit schepsel binnengehaald om me te vermoorden!'

'Dat is niet waar!' riep Ferrie terug. 'Je hebt die poort zelf geopend. Ik probeerde alleen maar je te helpen!'

'Dief! Leugenaar! Ik kan helemaal geen poorten meer openen, of ben je zo onnozel dat je dat niet weet, stomme A!'

'Hou op!' zei Max. 'Ik denk dat je beter met mij mee kunt komen.'

'Dat... dat kan niet.' Ferrie deinsde achteruit.

'Hoezo, dat kan niet?'

Ferrie sloot zijn ogen en concentreerde zich uit alle macht om toegang te krijgen tot zijn diepstgewortelde angst – het gevoel helemaal alleen op de wereld te zijn. Het ging schokkend snel deze keer. Voor zijn geestesoog zag hij alle plekken vanwaar en waarnaar hij eerder poorten had geopend. Ze zweefden als gloeiende lichtbollen vóór hem, sommige helderder dan andere.

Hij concentreerde zich op een ervan. Paars vuur omhulde hem.

'Waar ben je mee bezig, knul?' vroeg Max met stijgende ongerustheid.

'Het spijt me,' zei Ferrie. 'Dat meen ik echt.'

Voor hem opende zich een poort.

Hij keerde zich naar Theodoor en Violet. 'Kom mee!' riep hij, en hij sprong door de poort. Na een korte aarzeling volgden ze zijn voorbeeld.

'Hé!' riep Birgit. 'Dief, kom terug! Mijn gameboy! Kom terug met dat ding!' Woedend sprong ze de poort door, achter Ferrie aan.

'O nee!' Max haastte zich naar voren, maar hij was te laat. De poort was verdwenen.

Ferrie, Theodoor, Violet en Birgit stonden op een van de kale, rotsachtige vlakten waaruit de buitenste ring van het Nedergindse bestond.

'Geef terug, etterbak!' snauwde Birgit, en ze griste de gameboy uit Ferries hand. Op dat moment merkte ze dat ze omringd waren door een menigte spichtige, kwetterende wezentjes. 'Jakkes, Gremlins,' zei ze kreunend, en ze vertrok haar gezicht.

'Maak je geen zorgen, ze doen je niks,' zei Ferrie. 'Ze kauwen alleen op alles wat met elektriciteit te maken heeft.'

'Dat wéét ik, stomme A, maar daarom zijn ze nog wel weerzinwekkend.'

'Ach, ze zijn vast en zeker ook niet weg van jou.' Ferrie griste de gameboy terug. 'Ik heb dit gebied bij toeval ontdekt, toen we probeerden mijn ouders op te sporen.' Hij gaf de gameboy aan Violet. 'Hier, zet hem aan en verzamel zoveel mogelijk Gremlins om je heen. Dat moet gemakkelijk lukken, vanwege de batterijen. Daar voelen ze zich toe aangetrokken.'

'Ik doe het wel,' bood Theodoor aan. 'Want ik kan het beter dan zij.'

Ferrie schudde zijn hoofd. 'Violet is Uitdrijver. Dus ze wordt geácht dit soort dingen te doen. Bovendien heb ik jou nodig om een poort te openen, terug naar de Nachtmerrie Academie.'

'Naar de Nachtmerrie Academie? Maar ik dacht dat we –'

'Het is ook niet voor ons. Het is voor Bírgit,' viel Ferrie hem in de rede. 'Om haar terug te sturen.'

'Dat had je gedacht,' zei Birgit. 'Ik ga niet weg.'

Ferrie voelde dat zijn hersens pijn begonnen te doen. 'Waarom niet?'

'Omdat jullie duidelijk iets van plan zijn, en ik zal ervoor zorgen dat jullie er niet ongestraft van afkomen. Dus wat jullie ook gaan doen, ik ga mee.'

'Vergeet het maar,' zei Ferrie.

'Probeer me maar eens tegen te houden.' Birgit ging vlak voor hem staan. Het simpele feit dat ze ineens zo dichtbij stond, was ongelooflijk intimiderend... en ook een beetje opwindend. Ferrie zou het wel willen uitschreeuwen, maar hij dwong zichzelf kalm te blijven.

'Jij je zin,' zei hij dan ook, en hij keerde zich naar Violet. 'Laten we dan maar beginnen.'

'Wat doen we met die Gremlins als ik ze eenmaal bij elkaar heb?' vroeg ze.

'Dat zul je wel zien. Vooruit. Zet hem aan.'

'Dit wordt echt stuitend,' mompelde ze, terwijl ze de knop op de gameboy omzette. Op slag draaiden honderden Gremlins hun kop naar hen toe, als raketten die zich op hetzelfde doelwit richtten. Kreunend begaf Violet zich tussen de wezens, op de plek waar hun concentratie het hoogst was, ondertussen heftig met de gameboy zwaaiend. De Gremlins kwamen in vliegende vaart springend en stuiterend op haar af en probeerden haar de gameboy afhandig te maken. Het waren er zo veel, dat ze al snel volledig aan het oog onttrokken was door de hysterisch grijpende wezens.

'Wat is hier de bedoeling van?' wilde Birgit weten.

'Dat zul je zo wel zien.' Ferrie sloot zijn ogen en concentreerde zich op het openen van een poort.

De gouverneur stond voor de directeur van het Bureau Nachtmerries in de steriele ambiance van chroom en staal van de zaal waarin de Hoge Raad bijeenkwam. Duidelijk slecht op haar gemak hoorde ze Draco's woedende tirade aan.

'Ik heb je nog zo gewaarschuwd!' schreeuwde hij. Druppels speeksel vlogen als een weerzinwekkende fontein in het rond. 'Ik heb je gezegd dat de gevolgen volledig voor jouw rekening waren als die jongen brokken zou maken.'

'Ja, dat heb je gezegd.'

'En erger had nauwelijks gekund. Nu zitten we niet alleen met Parasithio maar ook met Barakkas, om nog maar te zwijgen van een leger volgroeide Nederwezens die staan te trappelen om aan te vallen.'

'Daar heb je gelijk in,' moest ze toegeven. 'Maar... dat weten we – inclusief de exacte locatie van hun hol –uitsluitend en alleen dankzij de uitzonderlijke inspanningen van meneer Benjamin.'

'Dit is geen balletje-balletje, Driestenhope,' antwoordde Draco. 'Denk maar niet dat je die jongen met een slimme babbel in bescherming kunt nemen. Hij heeft ons ernstig teleurgesteld, en dus zal hij worden gestraft!'

'Geen sprake van,' zei ze eenvoudig. 'Dat laat ik niet gebeuren.'

'Ik heb hier de leiding, en mijn wil is wet!' snauwde Draco. 'Hij wordt Gereduceerd en hij blijft onder controle van het Bureau Nachtmerries tot we het gevoel hebben dat hij niet langer een bedreiging vormt.'

De twaalf leden van de Raad knikten instemmend.

'Als dat je beslissing is, dwing je me tot het nemen van maatregelen die ik liever achterwege zou laten,' zei de gouverneur poeslief.

Draco sprong uit zijn stoel en stormde op haar af.

'Waag het niet me te bedreigen!' schreeuwde hij. De aderen op zijn voorhoofd waren opgezwollen, zijn gezicht zag vuurrood van woede. 'Ik heb je lang genoeg getolereerd vanwege je verdiensten in het verleden voor het Bureau Nachtmerries. Maar als je je verzet tegen de regels, verklaar ik je tot verrader en zal ik alle middelen van het Bureau aanwenden om je voor het gerecht te krijgen?'

'Over welke regels heb je het? Over de regels die we altijd hebben gehanteerd, of over de nieuwe die jij dagelijks schijnt uit te braken?'

Plotseling opende zich midden in de zaal een poort. Max stormde erdoor, gevolgd door Tabitha.

'Wat heeft dit te betekenen?' bulderde Draco. 'Het is verboden om rechtstreeks poorten te openen naar het Bureau Nachtmerries. Terug! U moet eerst door de veiligheidscontrole.'

'Konden we maar terug,' zei Max. 'Maar ik ben bang dat we geen tijd hebben voor formaliteiten.' Hij keerde zich naar de gouverneur. 'Het gaat om Ferrie. Hij is verdwenen, en hij heeft íéts gedaan... Ik weet niet precies wat, maar ik weet wel dat het niet in de haak is.'

De gouverneur zuchtte. 'Daar was ik al bang voor.' Plotseling opende zich nóg een poort in de zaal.

'Wat nu weer?' tierde Draco. 'Heeft iedereen soms elk respect voor de regels en de procedures overboord gezet? Zakken we weg in totale anarchie?'

Op dat moment vloog er een gameboy door de poort. Het apparaat belandde met een harde smak op de stenen vloer.

'Wat moet dat nou weer voorstellen... ' mompelde Draco, terwijl hij zich bukte om het ding op te rapen. Op dat moment stroomden honderden Gremlins door de poort, als een onstuitbare vloedgolf. In hun gretigheid de gameboy te pakken te krijgen, overspoelden ze de directeur. 'Help!' schreeuwde die. 'Ik word aangevallen! Een moordaanslag!'

Maar voordat iemand kon reageren, staakten de Gremlins hun strijd om de gameboy abrupt, omdat ze – bijna allemaal op hetzelfde moment – beseften dat ze zich hier in een elektronische snoepwinkel bevonden, omringd door smakelijke draden en kabels en vrolijk zoemende computerterminals.

Terwijl directeur Draco bleef roepen om vernietiging van de plunderende horde, keerden de Gremlins hem de rug toe en stortten zich op de muren en het plafond. Ze scheurden panelen open om bij de bedrading daaronder te komen, en ze kropen door luchtgaten, op weg naar het smakelijke binnenwerk van het technologische wonder dat het Bureau Nachtmerries was.

'Te wapen! Te wapen!' riep Draco. 'Het BN verkeert in groot gevaar! Drijf ze uit voordat we zonder stroom komen te zitten!'

Terwijl de vloedgolf van Gremlins verdween in het elektrische hart van het Bureau Nachtmerries, stroomden er opnieuw honderden de poort door om hun plaats in te nemen. Maar ze waren niet de enigen.

Onopgemerkt glipten er ook vier jonge mensen de poort door.Bijna onopgemerkt.

De gouverneur kreeg Ferrie, Violet, Theodoor en Birgit in de gaten toen ze zich tussen de plunderende Gremlins door een weg baanden naar de uitgang van de zaal.

'Wat een slimmerik!' zei ze zacht.

In de gang was het een ware heksenketel van koortsachtige bedrijvigheid.

De Gremlins gingen als bezetenen tekeer. Ze schoten langs het plafond en renden de medewerkers van het BN voor de voeten die wanhopig probeerden de schade te herstellen. Nedermagiërs en Uitdrijvers deden hun uiterste best om van de lastige schepselen af te komen. De verlichting boven hun hoofd flikkerde onrustig, uit bordjes met UITGANG, uit computerterminals en uit de Salivometers waarmee diverse deuren waren afgesloten, sproeide een regen van vonken.

'Wat zoeken we eigenlijk?' vroeg Violet, terwijl ze over een slangennest van sissende kabels sprong.

'De armbeschermer,' zei Ferrie. 'De polsband van Barakkas. Hij moet hier ergens zijn.'

'Meneer Benjamin!' klonk een luide stem achter hen.

Ferrie draaide zich om en zag dat de gouverneur haastig naar hen toe kwam, gevolgd door Max en Tabitha. Birgit liep achter hen. Er speelde een zelfingenomen glimlach om haar mond.

'Net waar we op zaten te wachten!' zei Theodoor. 'Ze heeft ons verraden.'

'En nu? Wat gaan we doen?' vroeg Violet.

'We moeten met ze praten. Ik denk dat we geen andere keus hebben,' zei Ferrie.

'Ik wilde u vragen waar u in vredesnaam mee bezig bent,' zei de gouverneur streng toen ze hun groepje had bereikt. 'Maar ik kan het wel raden, vrees ik. Ik begrijp dat u uw ouders in veiligheid wilt brengen. En dat u denkt dat u de polsband van Barakkas als onderhandelingsinstrument kunt gebruiken. Maar dan vergist u zich!'

'Dat heb ik óók al geprobeerd ze duidelijk te maken!' mengde Birgit zich in de discussie.

'De Genaamden zijn tot alles bereid om hem terug te krijgen,' vervolgde de gouverneur. 'En als ze hem eenmaal hebben, zullen ze jullie doden, jullie allemaal... of nog erger.'

'Precies,' zei Birgit.

'Ik ben niet gek,' zei Ferrie. 'Ik besef dat het lijkt alsof ik stom bezig ben, maar ik heb een plan. Echt waar. Ik ben niet zo onnozel als u denkt.'

'We denken niet dat u onnozel bent, meneer Benjamin,' antwoordde de gouverneur. 'Maar u bent jong en impulsief, en u bent zich misschien niet ten volle bewust van de gevaarlijke situatie die u over zichzelf en uw vrienden afroept, en dan heb ik het nog niet over de rest van de Nachtmerrie Academie. U moet het grote geheel voor ogen houden.'

'Dat zal best, maar er is ook nog zoiets als het kléíne geheel!' zei Ferrie driftig. 'Dat is waar ik naar kijk, en in dat kleine geheel gaan er mensen dóód! Mensen die me dierbaar zijn. Dat zal ik niet laten gebeuren.'

'Ik begrijp uw gedrevenheid, maar ik kan u niet simpelweg uw gang laten gaan. Als ik dat deed, zou ik mezelf niet meer onder ogen kunnen komen.'

'Dan zult u me moeten tegenhouden,' zei Ferrie. 'Want als ik niets doe, kan ík mezelf niet meer onder ogen komen.'

Er heerste een tijdelijke impasse.

Plotseling doofde de verlichting in het hele gebouw, terwijl de Gremlins hun vernietigende werk voortzetten. De noodverlichting sprong aan, waardoor alles baadde in een dramatische, rode gloed, slechts onderbroken door de witte schittering van opspattende vonken. De lucht was gevuld met rook en geschreeuw.

'Ik besef dat ik het misschien volledig mis heb,' zei Ferrie zacht. 'En ik besef dat de gevolgen in dat geval verschrikkelijk kunnen zijn. Dit lijkt misschien niet de meest voor de hand liggende of de veiligste aanpak, maar diep vanbinnen weet ik dat het de júíste aanpak is. U hebt me telkens weer gevraagd te vertrouwen op uw oordeel, en dat heb ik gedaan. Nu vraag ik u om op míjn oordeel te vertrouwen.'

De gouverneur keek hem doordringend aan, bijna alsof ze probeerde zijn gedachten te lezen en er op die manier achter te komen of het waar was wat hij zei.

Toen klonk er een bulderende stem aan het eind van de gang. Het was Draco! 'Uitdrijvers! Nedermagiërs!' Hij kwam driftig naar hen toe, zich een weg banend door een rattennest van muurpanelen en vonkende kabels. 'Grijp de verrader, Ferrie Benjamin, en zijn medeplichtigen, en breng ze onverwijld naar de Reductieruimte!'

Diverse Uitdrijvers en Nedermagiërs keerden zich naar Ferrie.

'Gouverneur?' vroeg Ferrie.

'Vooruit, ga maar!' Ze gebaarde de gang in. 'De polsband van Barakkas ligt achter de deur met SPECIALE PROJECTEN erop.'

'Dat kunt u niet maken!' protesteerde Birgit. 'Het is... tegen de regels! En het zal niet zonder gevolgen blijven!'

'Ik hoop vurig dat ze niet te ernstig zullen zijn,' zei de gouverneur. 'Want u gaat met ze mee.'

'Wat?' bracht Birgit hijgend uit.

'Wat?' echode Ferrie.

'U bent Secondant, juffrouw Brongers. Dus het is uw taak om anderen te seconderen, met andere woorden te hélpen. En dat is precies wat ik van u verwacht.'

'Maar het *Handboek voor het Nedergindse* van het Bureau Nachtmerries – editie Draco – zegt duidelijk dat...'

'Ik gebruik de editie Draco niet!' verklaarde de gouverneur met donderende stem. 'Ik hou me aan de editie Schemergoed. En in díé editie zijn Secondanten geen verklikkers met als taak hun teamgenoten erbij te lappen. In díé editie is een Secondant een waardevol en kritisch lid van een taakeenheid, met als doel het beschermen van het mensdom. U bent dit avontuur samen begonnen, en ik verwacht van u dat u het samen afmaakt!'

'Maar –' protesteerde Birgit.

'Vooruit! Ingerukt!' bulderde de gouverneur. 'Allebei!'

Birgit deinsde wankelend en geschrokken achteruit. Toen draaide ze zich om, en ze sloot zich aan bij Violet en Theodoor, die de gang al in renden.

'En de directeur dan?' vroeg Ferrie met een blik op Draco. De directeur werkte zich over een gevallen verwarmingsbuis heen, in een poging bij hem te komen.

'Maak je over hem maar geen zorgen,' zei de gouverneur ijzig. 'Die nemen wij voor onze rekening.'

'Dank u wel!' Ferrie draaide zich om en rende de gang in, achter de anderen aan.

'Jullie daar!' schreeuwde Draco met een verwilderde, woedende blik in zijn ogen, terwijl hij op Max, Tabitha en de gouverneur afstormde. 'Ik eis dat jullie onmiddellijk helpen met het vangen van de verraders, of ik leg de verantwoordelijkheid voor de gevolgen volledig bij jullie.'

'O ja?' De gouverneur keerde zich naar Max. 'Volgens mij weet je wat je te doen staat.'

'Reken maar.' Max nam de lasso van zijn riem, en het volgende moment was directeur Draco gestrikt, even hulpeloos als een kalf bij een rodeo.

'Hoe durven jullie?' bulderde Draco. 'Jullie weten wat dit betekent! Ik laat jullie je rang afnemen en ik zorg dat jullie voor de rest van je leven in de gevangenis belanden! Ik laat jullie Reduceren!'

'Tabitha,' zei de gouverneur. 'Een poort, alsjeblieft.'

'Had u nog een speciale bestemming in gedachten?' vroeg Tabitha.

'Jazeker,' antwoordde de gouverneur. 'Een héél specifieke bestemming, en daar wil ik met ons allen naartoe... '

Ferrie keek ingespannen naar de bordjes op de deuren waar ze langs renden, wanhopig proberend de Uitdrijvers en Nedermagiërs die hen achtervolgden, voor te blijven.

ANALYSE WEBPATRONEN NEDERJAGERS stond er op een van de deuren.

ONTHOOFDINGSFACILITEIT GORGONEN, las hij op een andere.

'Daar is het!' Theodoor wees naar een deur voor hen.

'Maak hem open!' zei Ferrie, toen ze voor de deur met daarop SPECIALE PROJECTEN stonden. 'Hij zou niet op slot moeten zitten nu de stroom is uitgevallen!'

Toen Violet en Theodoor hun volle gewicht tegen de deur gooiden, waren ze verrast door het gemak waarmee die opengíng. Gevieren stormden ze naar binnen, waarna Ferrie de deur nog net voor de neus van hun achtervolgers wist dicht te gooien.

'Birgit, hou hem dicht!' zei hij.

'Ik pieker niet over. Volgens de regels, om precies te zijn verordening 17 van het *Handboek voor het Nedergindse* van het Bureau Nachtmerries, in zowel de editie Draco áls de editie Schemergoed...'

'Het kan me niet schelen wat de regels zijn!'

'Dat is niet zo slim, want je bent bezig ze te overtreden!'

'Dat mag dan zo wezen, maar dat geldt ook voor jou!' zei Ferrie.

Birgit keek hem geschokt aan. 'Wát?'

'Je bent ons gevolgd naar het Nedergindse, nádat Max

ons had verboden te gaan. Je was erbij toen we de Gremlins verzamelden. Net zoals je erbij was toen het Bureau Nachtmerries werd vernield. En nu ben je er ook weer bij, in de afdeling Speciale Projecten.'

Birgit werd bleek. 'Daar kon ik allemaal niets aan doen, en dat weet je best.'

'Probeer dat directeur Draco maar eens uit te leggen.'

De deur dreigde te bezwijken onder de pogingen van de Uitdrijvers hem te forceren. 'De gouverneur heeft gezegd dat je ons moest helpen,' zei Ferrie. 'Dus... doe dat, alsjeblieft.'

Birgits ogen schitterden van boosheid. 'Ik háát je!' Toen zette ze haar schouders tegen de deur, om tegenwicht te bieden aan de zware slagen van de andere kant. 'Schiet op! Want ik hou dit niet lang vol.'

'Ik doe mijn best.' Ferrie draaide zich om en liet zijn blik door de ruimte gaan.

Recht voor hem, op een metalen onderzoekstafel, lag de reusachtige, afgerukte arm van Barakkas, in beginnende staat van ontbinding. De huid liet los en hing er in grote, grijze lappen bij. De armbeschermer zat echter nog om de brede pols en glansde onbeschaamd in de schemering.

'Dat is 'm!' zei Ferrie. 'Dat is de polsband van Barakkas.'

'Vooruit, meenemen dat ding!' riep Theodoor. 'En dan moeten we hier als de sodemieter zien weg te komen. Voordat ze ons te pakken krijgen'

'Te laat,' klonk een stem uit de duisternis.

Het hele groepje draaide zich om naar een grote, gespierde man met een dikke bos golvend zwart haar die op hen afkwam. Op zijn heup hing een reusachtig tweehandig zwaard. Theodoors mond viel open van verbazing.

'Páp? Ik dacht dat je op een SGO was?'

'Dat ben ik ook,' antwoordde zijn vader, en hij gebaarde

naar de reusachtige, afgerukte arm. 'Dát is mijn SGO. Ik heb opdracht de polsband te beschermen tegen iedere Nedermagiër die zou proberen hem te stelen. Maar ik had nooit kunnen denken dat ik hem zou moeten beschermen tegen mijn eigen zoon.' Hij keerde zich naar de andere studenten. 'Ik ben Wilbert Dolf.'

'Aangenaam kennis te maken, meneer,' zei Violet.

'Inderdaad,' viel Ferrie haar bij. 'Ik ben... nou ja, ik neem aan dat ik kan zeggen dat ik de beste vriend ben van uw zoon. Ferrie is de naam.'

'Ik weet wie je bent.' Wilbert fronste vluchtig zijn wenkbrauwen. 'Je had er niet lang voor nodig om mijn zoon in de problemen te krijgen, zie ik.'

'Dat heeft hij met mij ook gedaan!' klaagde Birgit, die zich nog altijd schrap zette tegen de deur.

'Dat is niet Ferries schuld, pap,' haastte Theodoor zich te verklaren. 'We helpen elkaar, met als taak het redden van mensenlevens.'

'Dat is nogal verbazingwekkend, gezien het feit dat je al... wat is het, twee dagen... Uitdrijver bent.'

Uitdrijver!

Theodoor wendde zijn blik af, niet goed wetend wat hij moest zeggen.

'Trouwens, nu we het daar toch over hebben...' Zijn vader inspecteerde hem van top tot teen. 'Alle Uitdrijvers hebben een wapen. Waar is het jouwe?'

'Eh, tja...' mompelde Theodoor. 'Er waren wat problemen met de Winde. U weet wel, de Winde in het Nedergindse. De Winde van de Waarheid?'

'Natuurlijk. Die ken ik maar al te goed.'

'Nou, volgens mij was hij ziek of zoiets. Want u zult het niet geloven, maar hij zei dat ik loog toen ik riep dat ik Uitdrijver was. Krankzinnig, hè?'

Zijn vader nam hem doordringend op, met zijn ogen tot spleetjes geknepen.

'En eh...' vervolgde Theodoor stamelend, 'de gouverneur heeft besloten dat ik word opgeleid tot Nedermagiër. Tijdelijk natuurlijk. Tot de problemen met de Winde zijn opgelost. Dus op dit moment ben ik Nedermagiër... maar binnenkort word ik Uitdrijver. Net als u, papa.'

Theodoor deed zijn best te glimlachen. Ferrie dacht dat zijn hart zou breken.

'Je bent gewoon mislukt,' zei zijn vader bot. 'Lieg niet tegen me, zoon. Je bent geen Uitdrijver, en ik ben stom geweest om te denken dat je dat zou kunnen zijn.'

Theodoor wendde zich af, beschaamd, in verlegenheid gebracht.

'Inderdaad.' Ferrie deed een stap in de richting van Theodoors vader, die hoog boven hem uittorende. 'Hij is geen Uitdrijver. Hij is Nedermagiër – misschien wel een van de grootste. U had hem moeten zien tijdens onze eerste les, meneer. Hij was een van de weinigen die erin slaagden een poort te openen. Echt, hij was geweldig. U zou trots op hem moeten zijn.'

'Trots dat mijn zoon niet meer is dan een veredelde buschauffeur?' aldus Wilbert. 'Trots dat mijn zoon mensen afzet op hun bestemming in het Nedergindse?'

'Laat maar, Ferrie,' zei Theodoor. 'Het is wel goed.'

'Nee, het is niet goed!' antwoordde Ferrie. 'Om een poort te openen, moeten we een beroep doen op onze diepstgewortelde, onze meest beschamende angst. Weet u wat die angst bij uw zoon was? Dat u niet meer van hem zou houden als u hoorde dat hij geen Uitdrijver was. Dankzij díé angst kon hij zijn eerste poort openen.'

'Nou, dan is die angst tenminste nog ergens goed voor geweest,' zei Theodoors vader.

'Niet om het een of ander,' onderbrak Birgit het gesprek. 'Maar de lui die achter ons aan zitten, zijn gestopt met op de deur te beuken.'

'Dan proberen ze een poort te openen en op die manier binnen te komen,' zei Wilbert. 'Dat is de SP – standaardprocedure. Dus jullie kunnen beter maken dat je wegkomt.'

'Niet zonder de polsband,' zei Ferrie.

'Dat overleef je niet. Iedereen die dat ding tot dusverre heeft aangeraakt, is er ter plekke in gebleven. Op een afschuwelijke manier.'

'Dat overkomt mij niet.'

'Hoe weet je dat?' vroeg Wilbert.

'Dat heeft Barakkas me zelf verteld.'

Theodoors vader begon te lachen. 'En jij gelooft dat? Wetende wie het zegt?'

'Ik geloof niet dat hij daarover heeft gelogen. Tenslotte heeft hij die polsband nodig. En hij heeft míj nodig om die voor hem te gaan halen.'

'Je verwacht toch niet serieus dat ik je zomaar, zonder meer, met dat ding laat vertrekken?' vroeg Wilbert. 'Ik zal jullie de kans gegeven via een poort te ontsnappen, maar dan wel met lege handen.'

'Dat klinkt redelijk,' zei Birgit.

'Dat kan wel zo zijn, maar ik vertrek hier niet zonder die polsband,' zei Ferrie.

'Hoor eens, knul, we kunnen dit op een simpele manier afhandelen, of je kunt het mij en vooral jezelf heel moeilijk maken.' Wilbert trok zijn zwaard. 'Ik stel voor dat we het simpel houden.'

Plotseling verscheen er, zoals Wilbert al had voorspeld, een poort in de afdeling Speciale Projecten waardoor diverse Uitdrijvers kwamen aanstormen. 'Opzij!' beet de aanvoerder van het groepje Wilbert toe. 'Deze kinderen zijn onze gevangenen. We hebben opdracht ze naar de Reductieruimte te brengen.'

'Mij ook?' Birgit hield geschokt haar adem in. 'Maar ik ben Secondant. Ik héb de Gave niet eens meer.'

'Iedereen!' antwoordde de leider van de Uitdrijvers. Toen keerde hij zich naar Wilbert. 'Uw zoon ook, ben ik bang.'

Wilbert slaakte een diepe zucht. 'Tja... ik neem aan dat ze het aan zichzelf te danken hebben. Neem ze dan maar mee.'

De Uitdrijvers trokken hun wapens en stapten naar voren. Plotseling en tot ieders verrassing ging Wilbert echter in de aanval, met een machtige uithaal van zijn zwaard die de geschrokken Uitdrijver maar amper wist te pareren.

'Pap!' riep Theodoor, verbijsterd zijn vader in actie te zien. 'Wat doe je nou?'

'Vooruit, maak dat jullie wegkomen!' zei Wilbert tegen Theodoor terwijl hij een slag met een knuppel afweerde. 'Als je echt zo goed bent in het openen van poorten, doe dat dan! En vlug een beetje!'

'Ik weet niet of ik het kan,' antwoordde Theodoor, op hetzelfde moment dat zijn vader een elleboog in de keel van een Uitdrijver plantte en een andere met het heft van zijn zwaard een jaap in zijn voorhoofd bezorgde.

'Je kunt het, Theodoor,' zei Ferrie. 'Ik weet dat je het kunt.' Toen keerde hij zich naar de reusachtige armbeschermer, die nog altijd om de rottende pols van Barakkas zat. Violet trok haar dolk en schoot Wilbert te hulp bij zijn inspanningen om hun meer tijd te geven.

Iedereen die hem tot dusverre heeft aangeraakt, is er ter plekke in gebleven, had Wilbert gezegd. *Op een afschuwelijke manier.*

Terwijl Ferrie ernaartoe liep, begon de polsband een pulserende rode gloed uit te stralen. Hij kon het gezicht van

Barakkas op de zijkant onderscheiden, en inmiddels herkende hij het gezicht daarnaast ook.

Het was Parasithio.

Ferrie raapte al zijn moed bij elkaar, stak zijn hand uit en raakte het warme metaal aan. Dat zwichtte onmiddellijk, precies zoals Barakkas had gezegd, en begon razendsnel te krimpen. De polsband sneed dwars door het rottende vlees, de zware botten daaronder braken doormidden als dorre takken. Het duurde niet lang of de band was zo ver gekrompen dat Ferrie hem moeiteloos om zijn eigen pols had kunnen doen.

Beschenen door het pulserende, ziekelijk rode licht keek Ferrie er aandachtig naar. Het was alsof de polsband leefde.

'Wat doe je?' riep Violet, toen ze Ferrie zo roerloos zag staan.

'Ik denk aan wat de gouverneur zei,' antwoordde Ferrie. 'Dat mijn ouders misschien al ergens anders naartoe zijn gebracht.'

'Daar kunnen we nu toch niets aan doen!' Violet trapte uit alle macht op de voet van een Uitdrijver die te dichtbij kwam.

'Dat is niet helemaal waar,' zei Ferrie. 'Ze denken dat de polsband een communicatie-instrument is.'

'Ja, en?'

'Nou, mischien kan ik hem gebruiken om erachter te komen wat Parasithio met ze heeft gedaan,' antwoordde Ferrie.

'Wat?' bracht Violet ademloos uit. 'Je bent toch niet van plan om hem...'

Voordat ze haar zin kon afmaken, schoof Ferrie het Artefact uit het Nedergindse om zijn pols. Tot afschuw van Violet.

Hoofdstuk 16

De polsband van Barakkas

Zodra Ferrie de polsband had omgedaan, werd zijn hoofd gevuld met een gebulder als van een waterval, en de wereld begon misselijkmakend te draaien en te schokken. Toen ze weer tot rust was gekomen, zag Ferrie vier vurige bollen, opgehangen aan een fluweelachtig, zwart firmament. Net als dat bij de poorten het geval was, kon hij erdoorheen kijken, naar wat zich daarachter bevond. Maar anders dan de poorten waren de bollen niet stationair. Ze leken stuk voor stuk door een andere omgeving te bewegen.

Door een van de bollen kon Ferrie het inwendige zien van een kristallijnen paleis in het Nedergindse. Het was een plek die hij niet herkende, gevuld met spookachtige, blinde wezens die langzaam door een mistige heiigheid zweefden.

Door een andere zag hij een eeuwenoud grafveld van vergane en vernielde boten, op een hoop gegooid ergens vlak bij de kolkende, rode zuil van de Binnencirkel. Het was er zo stil en verlaten als aan de achterkant van de maan.

Door de derde bol zag hij de ruimte voor Speciale Projecten in het Bureau Nachtmerries, de ruimte waar hij op dat moment stond. Wilbert en Violet hielden de Uitdrijvers op een afstand terwijl Theodoor zijn best deed een poort te creëren.

Door de laatste bol zag hij ten slotte tot zijn verrassing het gezicht van Barakkas. De reus keek hem recht aan.

Met een schok besefte Ferrie dat hij via de bollen door de ogen keek van iedereen die een van de Artefacten van het Nedergindse droeg, inclusief zijn eigen ogen. Zonder zich daarvan bewust te zijn liep hij in de richting van de bol waardoor het gezicht van Barakkas te zien was. Het duurde niet lang of hij ging daadwerkelijk dóór de poort, tot die zijn gezichtsveld volledig vulde. Plotseling kon hij verstaan wat Barakkas zei.

'Een honderdkoppige aanvalsmacht zou groot genoeg moeten zijn om mijn polsband uit het Bureau Nachtmerries te halen,' gromde het monster in de reusachtige grot onder de Krakatau, omstuwd door Nederwezens.

'Méér dan groot genoeg,' hoorde Ferrie Parasithio antwoorden, en hij besefte plotseling dat híj nu Parasithio was, of althans door de ogen van Parasithio keek. 'Sterker nog, volgens mij kun je hem gemakkelijk zelf gaan terughalen.'

'Natuurlijk,' zei Barakkas met een zucht. 'Maar dit gaat niet alleen om gestolen eigendommen. Ik wil de vijand met een vernietigende slag in het hart treffen.'

Parasithio bewoog zich haastig naar Barakkas toe, en Ferrie werd op slag duizelig door de plotselinge verandering van perspectief. 'Wanneer was je van plan mij hiervan op de hoogte te brengen?' vroeg Parasithio.

'Dat heb ik net gedaan.'

'Ik ben hier al twintig jaar bezig het leger bijeen te brengen dat jij zo nonchalant wilt gebruiken! Zonder mij zelfs maar te ráádplegen!'

'Ik heb jouw toestemming niet nodig,' gromde Barakkas. 'Je bent maar een van de Vier, net als ik. We zijn elkaar geen verantwoording schuldig.'

'Maar we zullen onze krachten moeten bundelen om de

Vijfde op te roepen!' antwoordde Parasithio.

'Daar heb ik mijn polsband voor nodig!'

'En die zul je krijgen ook!' zei Parasithio nijdig. 'Ik ben heel ver gegaan om je naar de Aarde te brengen, en ik zal zorgen dat de Vier compleet worden, maar waag het niet ook maar iets te ondernemen zonder mijn toestemming.'

'Pas op met wat je zegt! Als je eisen gaat stellen, kon het wel eens slecht aflopen met onze samenwerking!' bulderde Barakkas. Zijn ogen schitterden van woede.

Parasithio reageerde niet, en op het gezicht van Barakkas verscheen plotseling een bezorgde uitdrukking. 'Wat is er?' vroeg hij.

'Er kijkt iemand naar ons!' antwoordde Parasithio.

Haastig deed Ferrie de polsband af.

De wereld schokte opnieuw, en ten slotte keek Ferrie weer door zijn eigen ogen. Zijn hoofd tolde door wat hij had gehoord. Parasithio had het over 'de Vier' gehad. Ferrie veronderstelde dat Parasithio en Barakkas de eerste twee waren, maar wie waren de andere twee? En wie was die 'Vijfde' die de Vier hoopten op te roepen wanneer ze eenmaal naar de Aarde hadden weten te komen, met gebruikmaking van de Artefacten uit het Nedergindse?

Terwijl Ferrie probeerde te begrijpen hoe het zat, dreigden de Uitdrijvers Wilbert en Violet te overweldigen.

'Hoe zit het met die poort?' riep Violet naar Theodoor.

'Wordt aan gewerkt!'

Theodoor dacht koortsachtig na, op zoek naar een angst die hij kon gebruiken. Zijn vader was inderdaad razend geweest dat hij geen Uitdrijver was geworden. Toch was de wereld niet vergaan. Integendeel, zijn vader had zijn leven gewaagd om hem te beschermen. Nota bene tegen zijn collega-Uitdrijvers, tot wie hij had gehoopt zijn zoon ook ooit te kunnen rekenen. En het was díé gedachte waardoor Theodoor plotseling het gevoel kreeg alsof er een gloeiend heet mes in zijn maag werd omgedraaid. Niet alleen had hij zijn vader teleurgesteld. Hij had hem bovendien min of meer gedwongen zich tegen het Bureau Nachtmerries te keren, zijn werkgever. Zijn vader zou ongetwijfeld streng worden gestraft, misschien zelfs worden Gereduceerd, en dat was allemaal zijn schuld, dacht Theodoor.

Hoe kon zijn vader na zo'n teleurstelling en na zulk falen nog van hem houden?

Hoe kon hij zelfs verdragen met hem in één ruimte te zijn?

Plotseling werd Theodoor overspoeld door een ware vloedgolf van angst, en op het moment dat de golf zijn hoogste punt bereikte, opende zich vóór hem een poort.

'Goed werk,' riep Violet, toen keerde ze zich naar Ferrie. 'Laten we gaan!'

'Ja!' Ferrie keek een beetje verdwaasd, alsof hij uit een droom wakker schrok. Samen met Violet haastte hij zich de poort door.

Theodoor keerde zich naar zijn vader. 'Het spijt me zo, pap,' zei hij. 'Alles.'

'Ga nou maar!' riep zijn vader, omhoogspringend om een uithaal met een bijl te ontwijken, die hij vervolgens beantwoordde met een reeks snelle zwaardbewegingen. 'Vooruit! Wegwezen!'

Theodoor sprong door de poort, langs Birgit, die vanuit een donkere hoek stond toe te kijken. Op datzelfde moment hadden de Gremlins zich dwars door het plafond gevreten, en ze regenden op haar neer, klauwend naar haar haren en met hun nagels haar gezicht openhalend. 'Wacht! Ik kom ook!' Ze sprong de poort door, net voordat die dichtklapte.

Gevieren stonden ze ademloos op de buitenste ring van het Nedergindse.

'Wat bezielde je in 's hemelsnaam?' Violet keerde zich naar Ferrie. 'Waarom deed je die polsband om?'

'Dat heb ik je toch gezegd? Ik wilde zien waar Parasithio en Barakkas waren. Want ik was bang dat ze mijn ouders misschien ergens anders heen hadden gebracht, en ik ben nog niet ervaren genoeg om de ene na de andere poort te openen en overal naar ze te zoeken.'

'En, hadden ze je ouders ergens anders heen gebracht?' vroeg ze.

'Ik geloof het niet. Ze waren nog in het hol.'

'Toch had je het niet moeten doen,' mopperde ze. 'Je hebt een veel te groot risico genomen.' Ze keerde zich naar Theodoor. 'Goed werk, trouwens, met die poort. Je begint al een echte beroeps te worden.'

'Ja,' zei Theodoor, nog altijd geschokt. 'Het viel... niet mee.'

'Is alles goed met je?' Ferrie nam zijn vriend onderzoekend op. Hij wist maar al te goed hoe zwaar de emotionele tol kon zijn van het openen van een poort.

'Ja, prima,' antwoordde Theodoor. 'Alleen... ik weet niet wat er nu met mijn vader gaat gebeuren. Hoe Draco hem zal straffen.'

'Misschien gebeurt dat helemaal niet,' antwoordde Ferrie. 'De gouverneur zei dat zij de directeur voor haar rekening zou nemen. Als ze gaan doen wat ik dénk dat ze gaan doen, hoeft je vader nergens bang voor te zijn.'

'Wat dénk je dan dat ze gaat doen?' vroeg Violet.

Ferrie glimlachte grimmig. 'Ik denk dat ze hem gaan helpen vergeten dat hij ons ooit heeft gekend.'

De Harpijenkoningin likte met een lange, slangachtige tong langs haar zwarte lippen.

'Dit is verraad!' schreeuwde directeur Draco, nog altijd gestrikt door de lasso van Max. 'Dit kun je me niet aandoen!'

'Rustig maar, makker,' zei Max. 'Het duurt niet lang. En als het voorbij is, weet je er niets meer van.'

'En wat wilt u als betaling voor dit... verrukkelijke geschenk?' vroeg de Harpijenkoningin aan de gouverneur.

'Ik stel een ruil voor,' zei de gouverneur eenvoudig. 'U neemt iets van de directeur... en u geeft Maximus terug wat u hem heeft afgenomen.'

'Ach, zijn ouders waren zo verrukkelijk. Ik zou het afschuwelijk vinden afstand van ze te moeten doen,' antwoordde de Harpij. 'Wat biedt u van de directeur aan dat in plaats zou komen van die herinneringen?'

'Iets wat zo mogelijk nog verrukkelijker is.' De gouverneur ging vlak voor haar staan. 'Alle herinneringen die te maken hebben met Ferrie Benjamin en zijn vrienden.'

'Nee!' brulde de directeur. 'Die kun je me niet afnemen. Ik heb ze nodig om hem te kunnen vervolgen. Om hem te kunnen verwijderen omdat hij een kwaadaardige bedreiging vormt voor de hele Academie!'

'Dat wéét ik,' zei de gouverneur glimlachend. Toen keerde ze zich naar de Harpij. 'U ziet hoe sterk zijn emoties zijn. Al die onzekerheid, al die haat, al die angst... Stelt u zich eens voor hoe die zullen smaken. Hoe voedzaam en vullend zijn emoties zullen zijn...'

Zonder het te beseffen was de Harpijenkoningin begonnen te kwijlen.

'Akkoord,' zei ze, en met schokkende snelheid sloeg ze haar sterke, leerachtige vleugels om Draco heen, ze begroef haar tong in zijn oor en begon gretig te zuigen.

In het hart van de Krakatau, in het hol van de Nederwezens, heerste koortsachtige activiteit. Harpijen poetsten het enorme schild van Parasithio en wreven de doorzichtige onderkant tot die een heldere, parelachtige glans had. Zuurspuwers van de Vijfde Categorie maakten de hoeven van Barakkas schoon door hun bijtende sappen eroverheen te braken, terwijl Nedervleren langs het gewelf van de rokerige, heiige grot zweefden, slalommend tussen de stalactieten.

'Weet je zeker dat het de jongen was die door je ogen keek?' vroeg Barakkas aan Parasithio, boos een Zuurspuwer wegtrappend die in plaats van over zijn hoef over zijn enkel had gebraakt.

Parasithio knikte, met een reusachtige klauw afwezig over de strakke, zwarte band om zijn nek strijkend. 'Wie anders is sterk genoeg om een van de Artefacten van het Nedergindse te dragen?'

Plotseling opende zich een poort aan de andere kant van de grot. De twee Genaamden keerden zich om en zagen Ferrie, Violet, Theodoor en Birgit tevoorschijn komen.

'O, nee...' fluisterde Theodoor bij het zien van het hol van legendarische afmetingen, van de lavapoelen, van de Nederwezens, vuriger dan alles wat hij ooit had gezien of zich zelfs in zijn stoutste dromen had kunnen voorstellen.

'Dit hadden we beter niet kunnen doen.' Violet deinsde achteruit.

'Ja. Help ons alsjeblieft hier zo snel mogelijk weer weg te komen,' bracht Birgit hijgend uit.

'Hou je nou maar gewoon aan het plan.' Ferrie deed een stap naar voren, in de richting van de enorme monsters aan de andere kant van de grot. 'Hallo! Ik ben het, Ferrie Benjamin. Ik heb wat vrienden meegebracht.'

'Ferrie Benjamin,' zei Barakkas welwillend. Hij kwam

naar Ferrie toe, waarbij hij afwezig een Nederjager vermorzelde die niet snel genoeg wegschoot. 'Wat een verrukkelijke verrassing.'

'Ik ben hier om een ruil te doen.'

'Kijk eens aan, dat klinkt intrigerend,' antwoordde Barakkas. 'Vertel!'

'Mijn ouders... voor dít.'

Ferrie hield de polsband omhoog. Hij gloeide en straalde in het halve duister van de grot. Plotseling begon ook de band om Parasithio's hals te gloeien, in reactie op de aanwezigheid van een van de andere Artefacten van het Nedergindse. Het was duidelijk dat ze elkaar op de een of andere manier beïnvloedden – samen verspreidden ze een vuriger gloed dan ze afzonderlijk ooit hadden gedaan.

Barakkas keek hongerig naar de polsband. 'Hoe kom je eraan?'

'Gremlins,' antwoordde Ferrie. 'We hebben er honderden naar het Bureau Nachtmerries overgebracht. Ze hebben ervoor gezorgd dat de stroom uitviel, en in de daaropvolgende chaos hebben mijn vrienden en ik de polsband gestolen.'

'Ongelooflijk.' Parasithio keerde zich met een sneer naar Barakkas. 'Hij heeft het met Gremlins gedaan! En jíj was van plan een heel leger mee te nemen!'

Barakkas kookte, maar hij zei niets.

Ferrie keek naar zijn Schaduw en zag dat die naar rechts wees, naar een gang die vanuit de reusachtige grot de duisternis in kronkelde.

'Ik wil dat u mijn vrienden mee daarheen neemt.' Ferrie wees naar de gang. 'Zodat ze kunnen zien of alles goed is met mijn ouders.'

'Je weet waar we ze gevangenhouden?' vroeg Parasithio.

'Ik heb een Schaduw.'

Barakkas en Parasithio wisselden een blik uit. 'Slim,' zei

Barakkas, toen keerde hij zich naar een Nederjager. 'Neem ze mee,' commandeerde hij. 'En zorg dat hun geen haar wordt gekrenkt!'

De Nederjager boog en schoot toen haastig naar Theodoor en Violet. 'Kom mee!' beet hij hun toe.

Theodoor keerde zich naar Ferrie. 'Weet je zeker dat je het verder alleen redt?'

Ferrie knikte. 'Het komt goed. Hou je gewoon aan het plan.'

Nerveus liepen Theodoor en Violet met het Nederwezen de donkere gang in. Na slechts enkele stappen te hebben gezet, draaide Violet zich om, ze rende terug naar Ferrie en gaf hem een stevige knuffel.

'Wees voorzichtig,' zei ze.

'Jij ook.'

'En wat moet ík doen?' vroeg Birgit, wegkruipend achter Ferrie terwijl Theodoor en Violet met de Nederjager vertrokken.

'Jij moet gewoon je mond houden en zorgen dat je niemand voor de voeten loopt,' antwoordde Ferrie. Toen keerde hij zich naar de twee Genaamden. 'Wanneer mijn vrienden eenmaal mét mijn ouders door een poort zijn vertrokken, geef ik u de polsband.'

'Ik weet niet of we daar wel mee akkoord kunnen gaan,' antwoordde Barakkas. 'Hoe weten we dat jij niet ook door een poort vertrekt, mét de polsband, zodra je ouders eenmaal in veiligheid zijn gebracht?'

'Omdat ik niet wegga,' antwoordde Ferrie. 'Sterker nog, ik ga nóóit meer weg.'

'Wat?' vroeg Birgit geschokt.

Ferrie negeerde haar en liep met groeiend zelfvertrouwen naar Barakkas en Parasithio.

'Ik wil me bij u aansluiten,' vervolgde hij. 'Ik kan niet

meer terug. Sinds ik ú heb binnengelaten' – hij knikte naar Barakkas – 'heeft de directeur besloten dat ik beter dood kon zijn. Of Gereduceerd.' Hij haalde zijn schouders op. 'Dat komt op hetzelfde neer.'

'Dus je hebt de polsband gestolen, in de hoop dat zo'n koninklijk geschenk ons gunstig zou beïnvloeden, zodat we je zouden vragen je bij ons aan te sluiten?'

'Ja, en om mijn loyaliteit jegens u te bewijzen. Na wat ik heb gedaan, kan ik nooit meer terug naar het Bureau Nachtmerries.'

'Valserik die je bent! Je hebt tegen me gelogen!' schreeuwde Birgit. 'Tegen ons allemaal! Je bent van meet af aan van plan geweest ons te verraden!'

Ferrie haalde zijn schouders op. 'Dat moet je mij niet verwijten. Je bent er zelf in getrapt.' Hij keerde zich weer naar de Genaamden. 'En, wat wordt het? Kan ik me bij u aansluiten?'

Parasithio dacht na. 'Nee,' zei hij ten slotte. 'Het snijdt geen hout. Je weet wat ik al die jaren geleden met Edward Kneep heb gedaan, toen hij me hielp naar de Aarde te komen. Hij sloot een overeenkomst met me, waaraan ik me, spijtig genoeg, niet heb gehouden. Waarom zou je denken dat we jou anders zouden behandelen? Waarom zou je je bij ons willen aansluiten?'

'Omdat u me nodig hebt.' Ferrie ging tussen hen in staan, zodat hij volstrekt nietig leek – een reekalf tussen twee reusachtige eikenbomen. 'Hoe kunt u anders de twee resterende Genaamden naar de Aarde halen, zodat u gevieren de Vijfde kunt oproepen?'

'Hoe weet je dat?' vroeg Barakkas, maar ineens daagde het hem. 'Je hebt de polsband omgedaan!'

'Inderdaad,' bekende Ferrie. 'Heel even maar. Ik heb u bespioneerd, ik weet wat u van plan bent, en u hebt míj nodig om dat plan te verwezenlijken!'

Ferrie zweeg. Hij stond inmiddels pal tussen hen in, maar ondanks zijn buitengewoon kwetsbare positie leek hij volkomen zeker van zijn zaak.

'Zou je dat echt doen?' vroeg Barakkas. 'Zou je je tegen je eigen soort keren? Zou je bereid zijn je eigen mensen te verraden?'

'Ze haten me toch allemaal,' zei Ferrie zacht.

'Dat klopt!' schreeuwde Birgit.

'Ziet u wel? Ze vinden me een freak, zelfs de kinderen die ook de Gave hebben. Ze zijn allemaal bang voor me.' Hij keek op naar de monsters aan weerskanten, en er kwam een uitdagende blik in zijn ogen. 'Ik wil ze een réden geven om me te haten.'

De polsband verspreidde een stralende gloed, zo dicht bij zijn makker. Barakkas was erdoor betoverd, door de verrukkelijke nabijheid ervan...

'Laat mijn ouders gaan,' zei Ferrie. 'En ik blijf.'

In de kleine, smerige nis waar Ferries ouders werden vastgehouden, gebruikte Violet haar dolk om door de taaie Nederzijde te snijden waarmee ze waren vastgebonden. Het was alsof ze door een dik stuk touw sneed.

'Hoe gaat het?' vroeg Theodoor nerveus.

'Het gaat,' antwoordde ze toen ze er eindelijk in slaagde de eerste cocon over bijna de hele lengte open te snijden. 'Help eens een handje! Trekken!'

Theodoor en zij pakten elk een kant van de cocon en begonnen te trekken. De zijde scheurde en Olga, Ferries moeder, kwam tevoorschijn. Ze was broodmager, slap en verzwakt, als een ballon waar de lucht uit was gelopen. Haar oogleden fladderden open, en ze likte met haar tong langs haar droge lippen.

'Waar ben ik?' vroeg ze schor.
'U bent veilig,' zei Violet. 'We komen u redden. Ferrie is er ook.'
'Ferrie?' Olga zette grote ogen op. 'Is mijn zoon hier? Is alles goed met hem?'
'Reken maar,' antwoordde Theodoor. 'En ik kan het weten, want ik ben zijn beste vriend.' Hij keek naar Violet. 'Nou ja, dat zijn we eigenlijk allebei.'
'O, daar ben ik blij om,' antwoordde Olga met een dromerig glimlachje. 'Hij heeft vrienden nodig. Want die had hij eigenlijk nooit.'
'Gaat u maar even rustig zitten,' zei Violet, en ze begon de cocon die Ferries vader omhulde, open te snijden. 'Nog even geduld. Dan bent u vrij.'

In de reusachtige grot overlegden de twee Genaamden onder vier ogen met elkaar.
'Hij liegt,' zei Parasithio.
'Het feit dat jíj niet te vertrouwen bent, wil nog niet zeggen dat iedereen zo is,' antwoordde Barakkas. 'Het is nog maar een kind. Een boze, wantrouwende, kleine jongen, net als dat joch dat jou jaren geleden naar de Aarde heeft gehaald. Stel je eens voor hoe nuttig hij zou kunnen zijn om de andere twee hierheen te krijgen.'
'Maar dat dóét hij niet!' antwoordde Parasithio. 'Hij heeft niets goeds in de zin. Ik weet niet precies wát hij van plan is, maar ik kan aan hem rúíken dat hij ons kwaad wil doen.'
'Hij heeft me de polsband gebracht,' protesteerde Barakkas. 'Dat bewijst dat zijn bedoelingen oprecht zijn.'
'Je bent verblind door je verlangen naar dat ding!' snauwde Parasithio. 'Omdat je het zo wanhopig graag terug wil hebben, laat je je oordeel erdoor vertroebelen!'

'Dat wil nog niet zeggen dat ik het bij het verkeerde eind heb! Als jij denkt dat die jongen liegt en helemaal niet van plan is zich bij ons aan te sluiten, dan moet je dat bewijzen!'

'Dat zal ik zeker doen,' snauwde Parasithio, en met een angstaanjagend geratel van zijn klauwen riep hij zijn dienaren.

Terwijl Parasithio zijn plan ten uitvoer bracht, fluisterde Ferrie tegen Birgit: 'Maak je geen zorgen. Ik zal jullie niet verraden. Ik wil alleen dat ze dénken dat ik me bij hen aansluit, zodat ze Theodoor de kans geven mijn ouders hier veilig weg te krijgen. Zodra ze eenmaal vertrokken zijn, zorg ik dat er ook een poort komt voor ons.'

'Ik weet niet meer wat ik moet geloven,' antwoordde Birgit. 'Wat je tegen hen zegt of tegen mij.'

'Vertrouw me nou maar,' zei Ferrie.

Plotseling kwam er een Nederjager naar hen toe. Hij hield iets in zijn poten. Iets wat spartelde en tegenstribbelde. Ferrie spande zijn ogen in om te zien wat het was, tot zijn gezichtsveld in beslag werd genomen door de gruwelijke waterspuwerkop van Parasithio. Het reusachtige monster rook naar rotte vis die te lang in de zon had gelegen.

'Mijn compagnon en ik hebben een... meningsverschil over je ware bedoelingen,' zei hij. Ferrie vond de stank van zijn adem bijna ondraaglijk. 'Hij gelooft je, ik niet. Als je de waarheid spreekt, dan zullen we je vrienden en je ouders laten gaan en je als compagnon welkom heten. Maar als je liegt, slachten we jullie allemaal af. Langzaam. En buitengewoon pijnlijk!'

'Hoe kan ik mijn loyaliteit jegens u bewijzen?' vroeg Ferrie.

'Hiermee.' Parasithio gebaarde naar de Nederjager, die Ferrie haastig het kleine, spartelende wezen gaf dat hij stijf in zijn voorpoten hield.

Het was een Snark.

Het kleine, zachte, schattige wezentje leek volkomen misplaatst in deze duistere, wrede ondergrondse grot. Het spinde en koerde in Ferries handen.

'De Snark zal ons vertellen of je wel of niet bang bent. En je ángst zal ons vertellen of je wel of niet liegt. Als je de waarheid vertelt, heb je niets te vrezen. Dan kun je vertrouwen hebben in de goede afloop, wetend dat de Snark je onmogelijk kan verraden, omdat je niets te verbergen hebt. Maar als je líégt...' Parasithio's klauwen ratelden nu onbeheerst. 'Als je liegt, zal je ángst groeien, omdat je weet dat de Snark je zal ontmaskeren... En als hij dat doet, zullen jij en je vrienden en je ouders de ultieme prijs betalen.'

Ferries hart begon wild te kloppen. Hij dacht dat hij een goed verhaal had gehouden over de reden waarom hij zich bij hen wilde aansluiten. He was precies zo gegaan als hij het had gerepeteerd, maar toch...

Toch gelooft een van de twee me niet.

Dat had geen deel uitgemaakt van zijn plan.

De angst die altijd in zijn achterhoofd had geloerd, begon te groeien, en tegelijkertijd begon de Snark van vorm te veranderen. Vervuld van afschuw zag Ferrie dat hij snel twee keer zo groot werd en zijn zachte, wollige vacht aflegde, terwijl zijn snavel werd vervangen door een muil met scherpe tanden. Een staart bezet met weerhaken groeide uit zijn rug. Hoe meer hij veranderde, hoe angstiger Ferrie werd dat zijn verborgen bedoelingen, zijn wáre plannen, werden blootgelegd. En die angst versnelde op zijn beurt de transformatie van de Snark.

Het was een vicieuze cirkel.

Parasithio glimlachte bij het bewijs van zijn gelijk. 'Het lijkt erop dat je ontmaskerd bent,' zei hij.

'Nee!' Ferrie deinsde achteruit. 'Ik ben niet bang om ontmaskerd te worden, ik ben bang voor ú. Dat moet u toch begrijpen. U bent een behoorlijk angstaanjagende verschijning. Dát is de angst waardoor de Snark van vorm verandert.'

Barakkas kwam naar voren. 'Dat zou heel goed kunnen, Parasithio. Wees niet te haastig om een potentieel nuttige knaap te vernietigen.'

'Als hij gelijk heeft en ik heb het mis, dan moet hij zijn loyaliteit aan ons bewijzen op een manier die geen ruimte laat voor twijfel.' Met een van zijn enorme klauwen greep Parasithio Birgit. Toen keerde hij zich naar Ferrie. 'Zeg het maar, knul, dan snij ik haar doormidden. Als je je bij ons aansluit, is ze tenslotte niet meer dan de eerste van de tallozen die je zult helpen vernietigen.'

'Nee...' jammerde Birgit. 'Ferrie?'

Ferries mond werd kurkdroog. Hij kon geen woord uitbrengen.

'Ferrie?' herhaalde Birgit, heel zacht, bijna fluisterend.

'Vooruit, neem een besluit.' Parasithio bukte zich en bracht zijn kop tot vlak voor Ferries gezicht. 'Wat gaat het worden?'

Ferrie sloot zijn ogen. 'Laat haar los,' zei hij ten slotte.

Parasithio grijnsde. 'Precies wat ik dacht. Die jongen heeft van meet af aan een spelletje met ons gespeeld. Je bent een dwaas, Barakkas. Altijd al geweest, trouwens.'

Barakkas vertrok zijn gezicht toen Parasithio begon te lachen – bulderend, langdurig – en Ferrie voelde de hete, kwalijk riekende adem van het schepsel langs zijn gezicht strijken.

'Als hij een dwaas is, dan ben jij het ook!' Ferrie haalde uit en gooide de polsband in Parasithio's wijd opengesperde muil.

Even heerste er een verbijsterde stilte, terwijl Barakkas

toekeek hoe de gloed van een van de vier Artefacten van het Nedergindse door Parasithio's hals naar beneden zakte en zich uiteindelijk diep in zijn ingewanden nestelde, waar hij het doorzichtige schild vanbinnenuit deed oplichten.

'Wat... wat heb je gedaan?' bracht Barakkas hijgend uit.

'Je wilt je polsband toch zo graag hebben?' antwoordde Ferrie. 'Ga hem dan maar halen!' Hij keerde zich naar de gang die leidde naar de nis waar zijn ouders werden vastgehouden en schreeuwde: 'NEEM ZE MEE! MAAK EEN POORT EN ZORG DAT JULLIE WEGKOMEN!'

Violet had Ferries vader net losgesneden uit de cocon toen de echo's van Ferries woorden door de gang schalden.

'Wat is er aan de hand?' vroeg Olga.

'Er is iets misgegaan,' zei Theodoor. 'We moeten ervandoor!'

Hij probeerde een poort te creëren, maar net op dat moment kwamen er twee Nederjagers de gang door, recht op de nis af. Hun kaken bewogen op en neer, en ze hielden hun spinorganen geheven.

'En Ferrie dan?' vroeg Wunibald. Zijn stem kraste doordat hij hem zo lang niet had gebruikt. 'Ik hoorde mijn zoon roepen...'

'Ferrie zal voor zichzelf moeten zorgen.' Violet hief haar dolk. 'Wij hebben genoeg aan onze eigen problemen.' Ze keerde zich naar Theodoor. 'Ik zal ze zo lang mogelijk op een afstand houden, maar schiet op met die poort.'

'Ik doe m'n best! Maar het helpt niet als je tegen me schreeuwt!'

'Oké.' Ze stak haar dolk in de richting van het dichtstbijzijnde schepsel. 'Lieve Theodoor, zou je mischien zo goed willen zijn een poort te openen? Alleen als het je schikt, natuurlijk.'

'Absoluut! Dat klinkt al een stuk beter.'

In de grot keerde Barakkas zich naar Parasithio, met een verwilderde, woedende blik in zijn ogen. 'Die polsband is van mij! Geef terug!'

'Ben je gek geworden?' snauwde Parasithio terug. 'Dat ding zit in mijn maag, idioot! Hoe moet ik het eruit krijgen?'

'Dat zal ik je laten zien,' gromde Barakkas. Met zijn enig overgebleven, reusachtige vuist geheven kwam hij op Parasithio af. Zijn hoeven sproeiden vuur terwijl ze de vonken uit de vulkanische rots sloegen.

'Hou op!' schreeuwde Parasithio. 'Dat is precies wat dat joch wil; dat we ons tegen elkaar keren.'

'Dat joch krijgt wat hij verdient. Maak je maar geen zorgen,' antwoordde Barakkas. 'Maar jij bent altijd al jaloers geweest op mijn macht, en ik weiger daar ook maar iets van af te staan. Dus ik wil mijn polsband terug! Nu meteen!'

'Nee!'

De oranje ogen van Barakkas begonnen te gloeien en werden plotseling rood van woede. 'HOEZO, NEE?' bulderde hij. Met een enorme sprong landde hij vlak voor Parasithio. Er ging een huivering als van een aardbeving door de grot. Vlammen laaiden rond hen op terwijl zijn hoeven de scherven van de rotsgrond sloegen. Hij hief zijn goede arm en liet zijn vuist met geweld neerkomen op Parasithio's schild, dat openbarstte, zodat het roze vlees daaronder zichtbaar werd.

Birgit viel op de grond en zocht een goed heenkomen, terwijl Parasithio jankend van pijn terugsloeg met een kwaadaardige aanval op de linkerdij van Barakkas. Een fontein van zwart bloed spoot uit het opengereten vlees. Huilend van woede stortten beide monsters zich op elkaar. Ondertussen greep Ferrie Birgit bij de arm. 'Kom mee!' Hij draaide zich om naar de gang die naar zijn ouders leidde.

Maar de gang was geblokkeerd. Nederwezens zwermden van alle kanten naar het hart van het hol terwijl hun meesters elkaar op de achtergrond te lijf gingen.

'En nu?' fluisterde Birgit.

'Nu... zullen we moeten vechten.' Ferrie trok zijn rapier. Het verspreidde een stralend blauwe gloed. 'Kom achter me staan.'

Ze kroop haastig achter hem weg terwijl honderden krijsende, schreeuwende monsters in vliegende vaart op hen af kwamen.

In de nis ontdekte Violet tot haar verbazing dat ze werkelijk over de vaardigheden van een geboren Uitdrijver beschikte. Ze draaide, maaide, pareerde de aanvallen van de Nederjager met verbazingwekkende behendigheid, puttend uit een reservoir van macht waarvan ze niet had geweten dat ze het bezat. Maar hoe dapper ze zich ook weerde, ze was geen partij voor de eindeloze stroom wezens die door de duistere gang op hen afkwamen.

'We hebben misschien nog vijf seconden,' fluisterde ze schor tegen Theodoor. 'Dan is het te laat.'

De druk was ondraaglijk, en Theodoor voelde zich vermorzeld door het plotselinge besef dat hij niet tegen zijn taak was opgewassen. Hij had iedereen teleurgesteld – zijn vader, zijn vrienden, en zelfs Ferrie, die hij in een grot amper dertig stappen achter zich in de steek had gelaten, overgeleverd aan een confrontatie die hij nooit kon winnen, met twee van de meest angstaanjagende schepselen die het Nedergindse ooit had voortgebracht. Theodoor had beloofd hem, zijn beste vriend, te beschermen, maar dat had hij niet gedaan, en daar zou Ferrie met zijn leven voor moeten betalen, zonder ooit zijn ouders terug te zien, voor wie hij alles op alles had gezet om hen te redden. Terwijl Theodoor zich Ferries gruwelijke dood voorstelde, zich bewust van zijn eigen hulpeloosheid om die te voorkomen, welde de angst voor die mislukking in hem op met de kracht van een tsunami. Het was iets levends, die angst; iets wat groeide met verbijsterende snelheid.

Plotseling opende Theodoor een poort.

'Goddank,' bracht Violet hijgend uit toen de monsters van het Nedergindse hen dreigden te overweldigen. Ze hadden geen ogenblik meer te verliezen, dus ze greep Ferries ouders bij de arm en sprong erdoorheen.

'Kom mee!' riep ze over haar schouder naar Theodoor.

'Het spijt me, makker,' fluisterde die, denkend aan de vriend die hij op het punt stond in de steek te laten. 'Veel geluk.' Toen sprong ook hij door de poort, en hij liet Ferrie en Birgit achter om hun noodlot alleen onder ogen te zien.

Parasithio en Barakkas streden als eeuwenoude mythische goden. Met een van zijn gigantische klauwen rukte Parasithio de schouder van Barakkas open. Die brulde het uit, maar greep de klauw bij de inzet vast en brak hem af. Pus spoot alle kanten uit.

Terwijl Parasithio huilde van pijn, bukte Barakkas zich en duwde hij zijn tegenstander, gebruikmakend van de twee hoorns op zijn hoofd, op de rug, waardoor diens kwetsbare onderkant werd blootgelegd. Met een razendsnelle, krachtige beweging gebruikte Barakkas zijn enige hand om met Parasithio's afgesneden klauw het doorzichtige buikpantser te doorboren, op de plek waar het vanbinnenuit werd verlicht door de rode gloed van de polsband.

De klauw sneed dwars door het pantser, met een geluid als van brekend ijs, en terwijl Parasithio met zijn enig overgebleven klauw Barakkas' gezicht bewerkte, dreef Barakkas zijn vuist diep in de ingewanden van Parasithio, wanhopig vissend naar de verloren polsband.

Ondertussen viel Ferrie met vloeiende, maar wanhopige manoeuvres de naderende Nederwezens aan. Met zijn laaiend blauwe rapier hakte hij klauwen en oogstelen af met verbazingwekkende precizie. Al vechtend drong er plotseling een scherp besef door zijn strijdwoede:

We gaan dood!

Hij kon dagenlang blijven doorvechten, maar er zou nooit een einde komen aan de stroom moordzuchtige monsters die door de duistere, onheilspellende gangen op hem afkwamen. Kon hij maar een poort openen, al was het maar een kleintje, om door te ontsnappen. Maar, zoals de gouverneur had gezegd, zelfs een Dubbele-Dreiging kon niet tegelijkertijd een poort openen en Uitdrijven. En als hij maar één seconde stopte met Uitdrijven, zouden ze hem met huid en haar verslinden.

De monsters daalden als een orkaan op hen neer – een duistere plaag waartegen Ferrie uiteindelijk kansloos was. Met verbazingwekkende snelheid zijn rapier hanterend, besefte hij dat hij het doodvonnis van zijn ouders had getekend door zijn poging om hen te redden. Alle anderen hadden gelijk gehad, hij had ernaast gezeten. Hij was een dwaas, het was een dwaze opdracht die hij zichzelf had gesteld, en die zou waarschijnlijk zijn enige echte vrienden en zijn ouders, die hem altijd hadden beschermd, het leven kosten. Hij wist niet wat er met hen was gebeurd in die donkere gang, maar hij kon zich niet voorstellen dat ze de aanval, het gevolg van zijn falen, hadden overleefd. Dus het kon niet anders of ze waren dood, en dat was zijn schuld. Hij stond alleen tegenover het leger van het Nedergindse, een uitgestotene in een wereld die hem haatte, met alleen een nutteloze Secondant aan zijn zijde.

'Het spijt me,' fluisterde Birgit terwijl Ferrie alles op alles zette om haar te beschermen. 'Ik wou dat ik iets kon doen. Als ik de Gave niet had verloren, had ik nu een poort voor ons kunnen openen, maar ik kán het niet.' Tranen van woede en hulpeloosheid stroomden over haar wangen. 'Ik heb eigenlijk nooit iets gekund,' zei ze snikkend, in het besef dat haar grootste angst werkelijkheid werd. 'Ik ben nep, ik kan niks. Ik ben nutteloos, en dat ben ik altijd al geweest. En daarom gaan we nu dood!'

En op dat moment opende zich tot hun verbijstering vóór hen een poort.

Ferries ogen werden groot. 'Heb jíj dat gedaan?' vroeg hij hijgend.

'Ik... ik geloof het wel,' zei ze verbouwereerd.

Heel ver weg hoorden ze Parasithio huilen van pijn, terwijl de ernstig gewonde Barakkas zijn polsband uit de stinkende drab van Parasithio's ingewanden haalde. De band wierp een angstaanjagende rode gloed op de muren van de grot en groeide in snel tempo tot hij weer om zijn pols paste.

'Hij is van mij!' brulde Barakkas. 'De polsband is weer van mij!'

Met op de achtergrond het triomfantelijke geloei van het reusachtige monster sprongen Ferrie en Birgit door de poort. De schepselen van het Nedergindse zwermden om hen heen, maar het was te laat.

De poort – met Ferrie en het meisje dat hem had geopend – was verdwenen.

Hoofdstuk 17

Het uur van de waarheid en de gevolgen

Na een korte stop in het Nedergindse kwamen Ferrie en Birgit tevoorschijn in het lokaal voor Nedermagie, in het hart van de Nachtmerrie Academie.

'Het is je gelukt!' Hij keerde zich naar haar toe.

'Ik geloof het ook.' Er verspreidde zich een zonnige glimlach over haar gezicht – zo warm, zo uitnodigend, dat Ferrie een pijnlijke steek in zijn hart voelde. 'Ik dacht dat ik de Gave voorgoed was kwijtgeraakt, maar ik heb hem teruggekregen.'

'En net op tijd,' zei Ferrie. 'Je was geweldig!'

'Dank je. Jij ook.' Ze gaf hem een kus, een snelle, zachte streling met haar lippen. Het was zijn eerste zoen, en het voelde zo heerlijk, zo volmaakt, dat Ferrie wenste dat ze nooit meer ophield.

'Lieverd...' klonk de stem van Olga achter hem.

Ferrie draaide zich om en zag zijn moeder haastig op zich afkomen. Ze omhelsde hem zo stijf, dat hij bijna geen lucht meer kreeg. Hij was geschokt te ontdekken hoe licht ze was. Tijdens haar gevangenschap was ze zo mager geworden en zo verzwakt geraakt, dat het leek alsof een harde wind haar als een veertje zou kunnen wegblazen.

'Is alles goed met je, mam?'

'Ja hoor! Zeker nu ik mijn zoon weer bij me heb.' Ze likte aan haar hand en probeerde het vulkanische roet van zijn gezicht te vegen. 'Je zou jezelf eens moeten zien. Het is werkelijk verschrikkelijk zoals je eruitziet!'

Ferries vader voegde zich bij hen. 'Ik dacht dat we je kwijt waren, zoon,' zei hij schor. 'Dat hadden we niet kunnen verdragen. Dan zou ik... dat zou het einde hebben betekend. Van ons allebei.'

'Met mij is alles prima, pap,' zei Ferrie. 'Echt waar.'

'De mannen Benjamin zijn dwars door hun angst heen gegaan!' riep Wunibald. 'En we zijn als overwinnaars uit de strijd gekomen!'

Ferrie glimlachte. 'Daar lijkt het wel op. Wat heerlijk om jullie te zien. Ik vind het zo erg wat jullie hebben moeten doormaken. Echt verschrikkelijk!'

'Ach, je weet wat ze zeggen: alles waar je niet aan bezwijkt, maakt je sterker,' zei Wunibald. 'En je moeder en ik zijn nu allebei héél erg sterk!'

'En denk erom dat je de schuld nóóit bij jezelf legt!' zei Olga bozig. 'Heb je me gehoord?'

'Ja, mam, ik heb je gehoord.' Ferrie glimlachte. Toen keerde hij zich naar Violet en Theodoor. 'Hoe zijn jullie ontsnapt? Ik dacht echt dat jullie kansloos waren.'

'Dat is volledig haar prestatie.' Theodoor wees naar Violet. 'Je had haar moeten zien! Ze was echt te grof voor woorden! Echt te grof voor woorden! Zoals ze tekeerging tegen die Nederjagers – tsjak, tsjak!' Om duidelijk te maken wat hij bedoelde, maaide hij met een hand door de lucht. 'Echt ongelooflijk. Absoluut buitensporig.'

'En je had de poort moeten zien die híj heeft gemaakt,' zei Violet. 'Overal waren wezens, en hij gíng ervoor, net als Michael Jordan in de laatste seconde van de wedstrijd, en hij maakte een poort... Dat gelóóf je gewoon niet.'

'Nou, zó geweldig was het nu ook weer niet.' Theodoor

bloosde van gêne, maar het was duidelijk dat hij genoot van het compliment.

'Allebei hartstikke bedankt,' zei Ferrie. 'Jullie hebben geen idee wat dat voor me betekent.'

'Ach, dat is wel goed.' Theodoor grijnsde. 'Zo zijn we nou eenmaal.'

'Meneer Benjamin!' klonk een bulderende stem van de andere kant van het lokaal. Ferrie draaide zich om en zag de gouverneur binnenkomen, met Max en Tabitha in haar kielzog.

'Allemachtig, knul... je hebt het overleefd!' Tabitha rende naar hem toe en viel hem om de hals. 'We waren zo...' Ze haperde, zoekend naar woorden. 'Je moet echt voorzichtiger zijn!' zei ze ten slotte.

Max sloeg Ferrie op de schouder. 'Petje af, knul! Ik weet niet hoe je 't 'm hebt gelapt, maar ik ben donders blij dat ik je weer zie.'

'Ik ook,' zei Ferrie stralend. Hij keerde zich naar de gouverneur. 'Wat hebt u nou uiteindelijk gedaan met...'

'Directeur Draco?' vroeg ze. 'Die is hier. Kom binnen, directeur.'

De directeur van het Bureau Nachtmerries kwam het lokaal binnen en liep rechtstreeks naar hen toe. 'Directeur Draco...' zei de gouverneur. 'Mag ik u voorstellen aan een heel bijzonder iemand? Dit is Ferrie Benjamin. Hij is buitengewoon rijk gezegend met de Gave.'

'Aangenaam kennis te maken.' Draco schudde Ferrie de hand. 'Als je goed je best doet en ijverig studeert, kom je misschien ooit wel voor me te werken, op het Bureau Nachtmerries.'

'Dank u wel, meneer,' zei Ferrie. Toen keerde hij zich naar de gouverneur. 'Dat is zeker het werk van de Harpijen?'

'Natuurlijk.'

Max slaakte een dramatische zucht. 'De Harpijen hebben mijn vader ontmaskerd als een leugenaar. "In elk monster schuilt schoonheid," zei die altijd. Maar bij de Harpijen kan ik geen schoonheid ontdekken, vanbinnen noch vanbuiten.'

Ferrie begon te lachen. 'Dat zei je váder altijd?'

Max knikte grijnzend.

'Wacht eens even,' zei Ferrie. 'Als je je herinnert wat je vader altijd zei, dan betekent dat...'

'Dat ik bij de transactie mijn ouders heb teruggekregen, net als jij.'

'Echt wáár?'

'Ja, ze zijn weer helemaal terug. Waar ze horen.' Max tikte tegen de zijkant van zijn hoofd. Toen viel Ferrie hem om de hals, overweldigd door opluchting. 'Rustig aan, knul,' zei Max. 'Laten we nou niet sentimenteel worden!'

De gouverneur keerde zich naar Ferrie. 'Wanneer u klaar bent, hebben u en ik het nodige te bespreken, meneer Benjamin.'

Ze stonden op het dek van het piratenschip, op het hoogste puntje van de Nachtmerrie Academie. Beneden strekte het oerwoud zich uit als een tapijt van groen fluweel. Vogels in stralende kleuren vlogen tussen de bomen, gedragen door de warme, tropische bries.

'Dus de Artefacten van het Nedergindse zijn instrumenten waarmee de Genaamden elkaar kunnen oproepen?' De gouverneur schudde haar hoofd. Haar gezicht stond ernstig. 'En je weet zeker dat alle vier Genaamden op Aarde moeten zijn om met behulp van de Artefacten "de Vijfde" op te roepen, zoals zij hem noemen?'

'Dat zeiden Barakkas en Parasithio.' Ferrie knikte. 'En

ze wisten niet dat ik meeluisterde. Dus ik neem aan dat ze de waarheid spraken.'

'Ik vraag me af wie of wat die "Vijfde" is,' zei de gouverneur. 'Als alle vier Genaamden nodig zijn om hem naar de Aarde te halen, moet het wel een buitengewoon machtig wezen zijn. Dus we moeten alles op alles zetten om te voorkomen dat hij wordt opgeroepen, en dat bereiken we door te zorgen dat de resterende twee Genaamden niet naar onze wereld kunnen komen.'

'Wie zijn het?' vroeg Ferrie. 'Die laatste twee, bedoel ik.'

'Ze heten Slagguron en Tyrannus,' antwoordde de gouverneur. 'Ik hoop dat je nooit de kans krijgt persoonlijk kennis met ze te maken.'

'Daar heb ik ook geen enkele behoefte aan,' zei Ferrie.

'Wat je te weten bent gekomen, is weliswaar buitengewoon zorgwekkend, maar ook van vitaal belang. Ik waardeer het enorm dat je zoveel inlichtingen voor ons hebt weten te verzamelen.'

'Graag gedaan.'

'Maar wat ik níét kan waarderen, zijn alle leugens en trucs die je hebt gebruikt om zover te komen,' vervolgde ze somber. 'Het heeft allemaal goed uitgepakt, maar het had net zo goed heel anders kunnen aflopen.'

'Dat besef ik,' zei Ferrie. 'Daar ben ik me inmiddels maar al te zeer van bewust. Ook al is het gelukt, er is eigenlijk niets volgens plan verlopen.'

'Dat gebeurt ook maar zelden.'

'Ik wilde dat Parasithio en Barakkas zouden denken dat ik me bij hen aansloot, zodat ze Theodoor en Violet de gelegenheid zouden geven mijn ouders in veiligheid te brengen.'

'En daarna wilde je ontsnappen met de polsband?'

Ferrie knikte. 'Maar Parasithio had me door.'

'Bedriegers hebben het altijd meteen in de gaten wanneer ze worden bedrogen,' zei ze grimmig.

'We hebben het overleefd,' vervolgde Ferrie. 'Maar het was kantje boord.'

'Daar zou ik maar aan wennen. Mijn hele leven is een aaneenschakeling van "kantje boord" situaties geweest. En toen je wegging, waren de twee Genaamden toen nog steeds aan het vechten?'

Ferrie knikte. 'Ja, het was verschrikkelijk. Het laatste wat ik zag, was dat Barakkas de polsband uit de maag van Parasithio haalde. Ik kan me haast niet voorstellen dat ze het hebben overleefd.'

'Aha,' zei de gouverneur. 'Nou ja, of ze het nu wel of niet hebben overleefd, het is wel duidelijk dat je hun een zware slag hebt toegebracht. In elk geval de eerstkomende maand, misschien zelfs het eerstkomende jaar, zullen ze te zwak zijn om aan te vallen. Dus je hebt ons wat extra tijd gegeven.'

'Dat zal wel... maar Barakkas heeft zijn polsband terug.'

'Ja, helaas. Maar uiteindelijk zou hij hem toch wel hebben gekregen, en waarschijnlijk ten koste van talloze levens bij het Bureau Nachtmerries.' Ze zweeg even. 'Alles in aanmerking genomen zijn je vrienden en jij opmerkelijk succesvol geweest,' zei ze ten slotte. 'En het meest verbazingwekkende is nog wel dat jullie het helemaal alleen hebben gedaan.'

'Dat heeft mij ook verbaasd,' zei Ferrie. 'Ik dacht voortdurend dat u of een van de anderen wel op het toneel zou verschijnen. Om ons te helpen of in veiligheid te brengen.'

'O ja?' vroeg ze welwillend.

'Ja. Op het laatst, toen ik tegen het halve hol moes[illegible]ten, dacht ik écht – waarschijnlijk omdat ik het h[illegible]pte – dat u me zou komen redden. Waarom hebt u da[illegible]niet gedaan?'

‘Omdat ik niet wist wat je plan was. Als ik op het verkeerde moment was gekomen, had ik alles kunnen bederven. Waar of niet?’

‘Ja, dat is zo,’ moest Ferrie toegeven. ‘Ik dacht alleen... Nou ja, ik dacht niet dat u zo veel vertrouwen in me zou hebben.’

Ze schonk hem een warme glimlach. ‘Ik had het volste vertrouwen in je, Ferrie. Zoals je me had gevraagd.’

‘Dank u wel,’ zei Ferrie. Toen keerde hij zich naar de oceaan, en hij staarde naar die ogenschijnlijk eindeloze watervlakte. ‘Waar zíjn we hier eigenlijk? In de Nachtmerrie Academie, bedoel ik.’

‘Op een verborgen plek,’ antwoordde de gouverneur cryptisch. ‘Net zoals je ouders verborgen zullen moeten blijven.’

‘Wát?’

‘Precies zoals ik het zeg. Helaas. Wanneer ze zijn hersteld van hun beproevingen, zullen we zorgen voor een nieuwe naam, een nieuwe identiteit, zodat ze ergens een nieuwe start kunnen maken. In hun eigen belang.’

‘Dat begrijp ik niet. Kunnen ze híér niet worden beschermd?’ drong Ferrie aan. ‘Ze zijn toch nergens veiliger? Zelfs Barakkas kon ons niet aanvallen in de Academie.’

‘Je hebt gelijk. De Academie heeft haar eigen unieke afweermechanisme tegen de schepselen uit het Nedergindse.’ Ze wreef liefkozend over de kaalgesleten houten reling van het piratenschip. ‘Maar die bescherming is misschien niet eeuwigdurend.’

‘Hoe werkt die dan precies?’

[illegible]s een lang verhaal, dus dat vertel ik je een andere [illegible]grijp dat je het liefst zou willen dat je ouders [illegible] naar ze maken jou verschrikkelijk kwetsbaar. Dat h[illegible] we gezien. Bovendien, de Academie is maar een hee[illegible]ein stukje van een heel groot eiland.’ Ze keek uit over de weidse uitgestrektheid van het oerwoud. Hoewel de zon stralend op de boomtoppen scheen, slaagde Ferrie er niet in de duisternis daaronder te zien. 'Er zijn hier nog meer gevaren,' zei ze ten slotte. 'We zijn niet alleen.'

Ferrie zat boordevol vragen. Wat precies wás het afweermechanisme van de Academie? Wat loerde er in het oerwoud? Waar zouden zijn ouders worden verborgen? Hij wilde antwoorden en wel nú, maar de gouverneur leek niet van plan ze hem te geven. 'Wanneer kan ik mijn ouders weer zien?' vroeg hij ten slotte, in de hoop althans op die vraag antwoord te krijgen.

'Dat weet ik niet zeker,' antwoordde de gouverneur. 'Ze moeten in elk geval verborgen blijven tot we zekerheid hebben over het lot van Parasithio en Barakkas.'

'Dat begrijp ik.' Ferrie wendde zich haastig af, zodat de gouverneur niet de tranen zag die in zijn ogen brandden.

Diep in het hol van Barakkas en Parasithio lagen de twee reusachtige monsters languit op het ruwe vulkanische gesteente, dat nat en kleverig was van hun zwarte bloed. Ze waren bijna onherkenbaar verminkt. Nederjagers krioelden om hem heen, druk bezig hen weer op te lappen en aan elkaar te naaien, gebruikmakend van hun taaie zijde. De twee Artefacten van het Nedergindse verspreidden een stralende gloed in de duisternis.

'Zorg dat hij blijft leven,' bracht Barakkas rochelend uit, wijzend naar Parasithio. 'We moeten alle Vier aanwezig zijn om de Vijfde te kunnen oproepen.'

'Goed, meester,' zei een van de Nederjagers.

Parasithio tilde zijn bebloede kop op en keerde zich naar Barakkas. 'Die jongen... moet boeten,' zei hij haperend, hijgend. 'Hij moet stérven!'

'Nee,' antwoordde Barakkas. 'Hij moet blijven léven. Zodat we hem kunnen laten lijden!'

'Ja,' verzuchtte Parasithio. 'Dat is nog beter.'

Terwijl lava in gloeiende stroompjes langs de muren van de grot sijpelde, verzamelden zich steeds meer Nederwezens om de verminkte kolossen te verzorgen, gebruikmakend van al hun duistere vaardigheden om de twee monsters terug te halen van de drempel van de dood.

Kneep zat in zijn eentje op de rotsen buiten de grot die leidde naar de Uitdrijfarena. De woeste branding zorgde voor een zilte nevel. De opspattende druppels prikten op zijn gezicht.

'Ik begrijp hoe je je voelt.'

Kneep draaide zich om en ontdekte Ferrie. 'O ja?' antwoordde hij. 'Meen je dat echt?'

Het bleef even stil. Een golf spoelde op het strand en liet een kantachtig spoor van witte bellen achter. Meeuwen zwenkten krijsend langs de hemel.

'Als ik het kon terugnemen, zou ik het doen,' zei Kneep zacht. 'Alles.'

'Ik ook,' zei Ferrie. 'Dan zou ik teruggaan naar de tijd vóórdat het allemaal gebeurde. Wat ik het ergste vind... is dat ik zo veel mensen zo veel pijn heb gedaan.'

'En dat worden er nog veel meer.' Kneep keerde zich naar hem toe. 'Dat heb je niet in de hand. Wat je wél in de hand hebt, is of je anderen pijn doet voor een góéde of voor een sléchte zaak.' Hij zweeg even. 'Doe nooit wat ik heb gedaan,' zei hij ten slotte.

'Ik zal het proberen,' zei Ferrie. 'Maar... het is niet altijd zo eenvoudig om te zien welke kant je uit wilt, als je begrijpt wat ik bedoel.'

'Dat begrijp ik helaas maar al te goed.'

Toen zwegen ze, en ze keken naar de kolkende branding en het schuim aan hun voeten. Ferrie dacht aan de duizend-en-een manieren waarop het allemaal verschrikkelijk fout had kúnnen gaan – en in sommige gevallen wás het ook fout gegaan. Het was puur geluk dat hem had gered.

De volgende keer zou geluk alleen misschien niet meer voldoende zijn.

'Hé, DD! Kom er ook in!' riep iemand, een eind verder langs het strand. Het was Theodoor, die zich genietend in de branding stortte, samen met Violet.

'Ja, het water is geweldig!' riep ze, en haar vrolijke, onbekommerde lach klaterde over het strand.

Hun stemmen, haar lach... Het klonk Ferrie allemaal als muziek in de oren.

Toen liep hij naar hen toe, en hij bleef alleen even staan toen hij Birgit ontdekte, bij een groepje palmbomen aan de rand van het oerwoud. Ze zag er prachtig uit. Hij stak zijn hand op en zwaaide. Lachend beantwoordde ze zijn groet. Toen hij dat zag, sloeg George, haar vriend, bezitterig een arm om haar schouders, en hij troonde haar mee, weg van Ferrie, naar de groene duisternis van het wilde woud.

'Kom je?' riep Theodoor weer.

'Ik kom eraan,' riep Ferrie terug toen Birgit eindelijk uit het zicht was verdwenen.

Hij draaide zich toe om en rende over het warme zand naar zijn vrienden. Achter hem rees de Nachtmerrie Academie hoog op. De loopbruggen zwaaiden licht in de tropische bries, de krankzinnige lappendeken van hutten en zeilschepen en verborgen hoeken en gaten sméékte om verkenning.

Ferrie was blij dat hij dat niet alleen hoefde te doen.